FFORIWR

Blaguryn a rhisgl y planhigyn *cinchona* y daw cwinin ohono

Cwfl a maneg o groen morlo o alldaith i'r Arctig ym 1875–6

Map yn dangos Ffenicia ar arfordir dwyreiniol y Môr Canoldir

Llestr Inca a ddygwyd yn ôl gan Francisco Pizarro

Capten Meriwether Lewis, fforiwr Americanaidd

Coinau Sbaen a wnaed
o aur De America

LLYFRAU ◉ LLYGAD-DYST

Glöyn byw y daeth
Joseph Banks ag ef o
Awstralia

FFORIWR

Ysgrifennwyd gan
RUPERT MATTHEWS

Cwmpawd
Charles Darwin

...ynfaen, ocsid haearn
...'n naturiol fagnetig.
...efnyddid ef gan fforwyr
...nnar wrth fordwyo.

Llong Christopher
Columbus – y *Santa Maria*

...aethpwyd â
...lofennau yn ôl
...y llong gyntaf
...nwyliodd o
...wmpas y byd.

GWASG PRIFYSGOL CYMRU
CAERDYDD

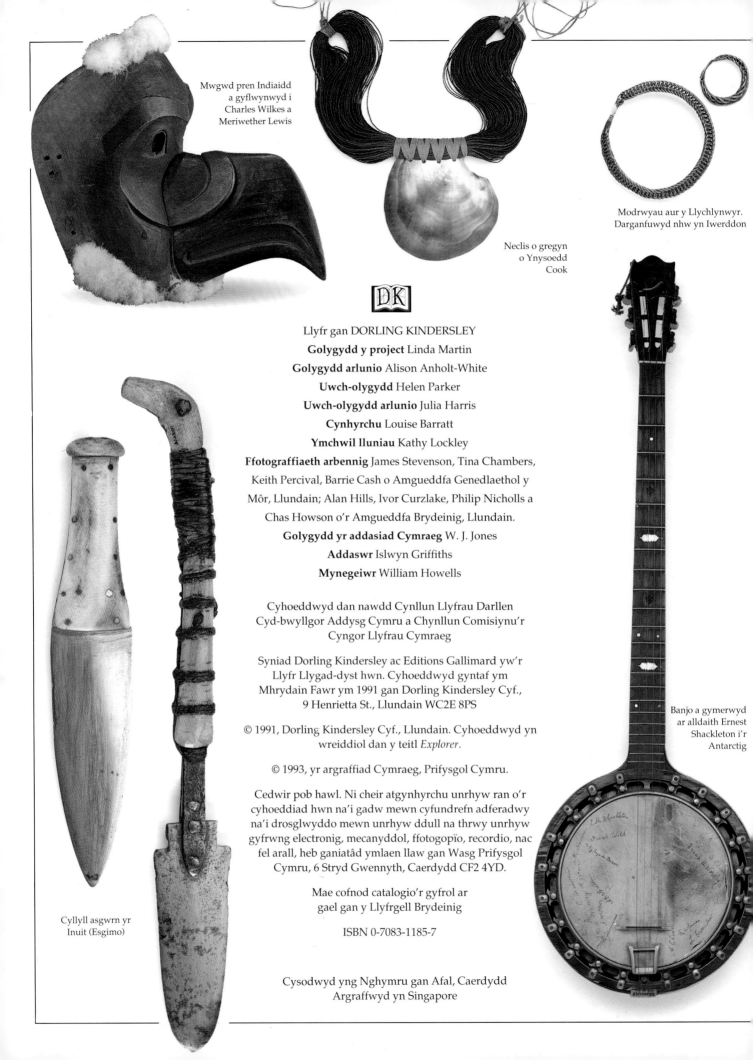

Mwgwd pren Indiaidd a gyflwynwyd i Charles Wilkes a Meriwether Lewis

Neclis o gregyn o Ynysoedd Cook

Modrwyau aur y Llychlynwyr. Darganfuwyd nhw yn Iwerddon

Cyllyll asgwrn yr Inuit (Esgimo)

Banjo a gymerwyd ar alldaith Ernest Shackleton i'r Antarctig

Llyfr gan DORLING KINDERSLEY
Golygydd y project Linda Martin
Golygydd arlunio Alison Anholt-White
Uwch-olygydd Helen Parker
Uwch-olygydd arlunio Julia Harris
Cynhyrchu Louise Barratt
Ymchwil lluniau Kathy Lockley
Ffotograffiaeth arbennig James Stevenson, Tina Chambers,
Keith Percival, Barrie Cash o Amgueddfa Genedlaethol y
Môr, Llundain; Alan Hills, Ivor Curzlake, Philip Nicholls a
Chas Howson o'r Amgueddfa Brydeinig, Llundain.
Golygydd yr addasiad Cymraeg W. J. Jones
Addaswr Islwyn Griffiths
Mynegeiwr William Howells

Cyhoeddwyd dan nawdd Cynllun Llyfrau Darllen
Cyd-bwyllgor Addysg Cymru a Chynllun Comisiynu'r
Cyngor Llyfrau Cymraeg

Syniad Dorling Kindersley ac Editions Gallimard yw'r
Llyfr Llygad-dyst hwn. Cyhoeddwyd gyntaf ym
Mhrydain Fawr ym 1991 gan Dorling Kindersley Cyf.,
9 Henrietta St., Llundain WC2E 8PS

Mae cofnod catalogio'r gyfrol ar
gael gan y Llyfrgell Brydeinig

ISBN 0-7083-1185-7

Cysodwyd yng Nghymru gan Afal, Caerdydd
Argraffwyd yn Singapore

Cynnwys

Het Henry Stanley

Fforwyr cynnar

CHWE MIL O FLYNYDDOEDD yn ôl ychydig a wyddai pobl am beth a ddigwyddai ymhellach na thaith ychydig o ddyddiau o'u cartrefi. Oherwydd eu bod yn tyfu eu holl fwyd a gwneud popeth yr oedd ei eisiau arnynt, nid oedd angen iddynt deithio'n bell. Ond wrth i wareiddiad ddatblygu, tyfodd y syniad o fasnachu â gwledydd eraill. Ymysg y masnachwyr cyntaf roedd y Ffeniciaid a oedd yn byw mewn dinasoedd ar lannau'r Môr Canoldir lle mae Israel a Libanus heddiw. Roeddynt yn adeiladwyr llongau penigamp a gallent deithio ymhell ar y môr. Hefyd roeddynt yn gwybod y gallent wneud arian trwy fasnachu. Rhwng tua 1500 a 500 CC fforiodd llongau'r Ffeniciaid holl lannau'r Môr Canoldir yn chwilio am farchnadoedd newydd a sefydlu trefedigaethau. Aethant hyd yn oed trwy Gulfor Gibraltar i Gefnfor Iwerydd a chyrraedd Prydain a Gorllewin Affrica.

GLEINIAU GWYDR
Roedd gweithwyr gwydr medrus ymysg crefftwyr Ffenicia. Byddent yn gwneud gwaith cywrain i'w werthu dramor. Roedd y neclis hwn mewn beddrod ar safle dinas hynafol Tharros yn Sardegna.

MAP CYNNAR
Darganfuwyd y dabled glai hon yn Iraq ac arni mae'r map cynharaf o'r byd y gwyddom amdano. Mae yr afon, 'Afon Chwerw', yn llifo o gwmpas y byd.

COINAU
Arferai masnachwyr cynnar Ffenicia ffeirio eu nwyddau, ond defnyddiai'r masnachwyr diweddarach goinau, sef darnau metel wedi eu stampio i ddangos eu pwysau.

Coin copor o Cádiz

Coin Carthaginaidd o Sbaen

Coin arian o Carthago

Llestr claddu

Seleri tanddaearol

Arysgrif Ffenicaidd

LLESTR CLADDU
Mae'r llestr claddu hwn, a gafwyd yn Carthago, Gogledd Affrica (gerllaw Tunis heddiw), yn cynnwys esgyrn plentyn. Carthago oedd y bwysicaf o holl drefedigaethau Ffenicia. Roedd yn arferiad yno aberthu plant i dduwiau a duwiesau a chladdu'r esgyrn mewn llestri crochenwaith mewn seleri.

CROCHENWAITH TOREDIG
Enw Astarte, duwies brydferth a phwerus, yw'r arysgrif Ffenicaidd ar y darn toredig hwn o grochenwaith. Cafwyd ef ym Malta, ynys sy'n sefyll ar groesffordd nifer o lwybrau môr. Sefydlodd y Ffeniciaid ganolfan fasnachu yma a gwneud yr ynys yn drefedigaeth.

118537

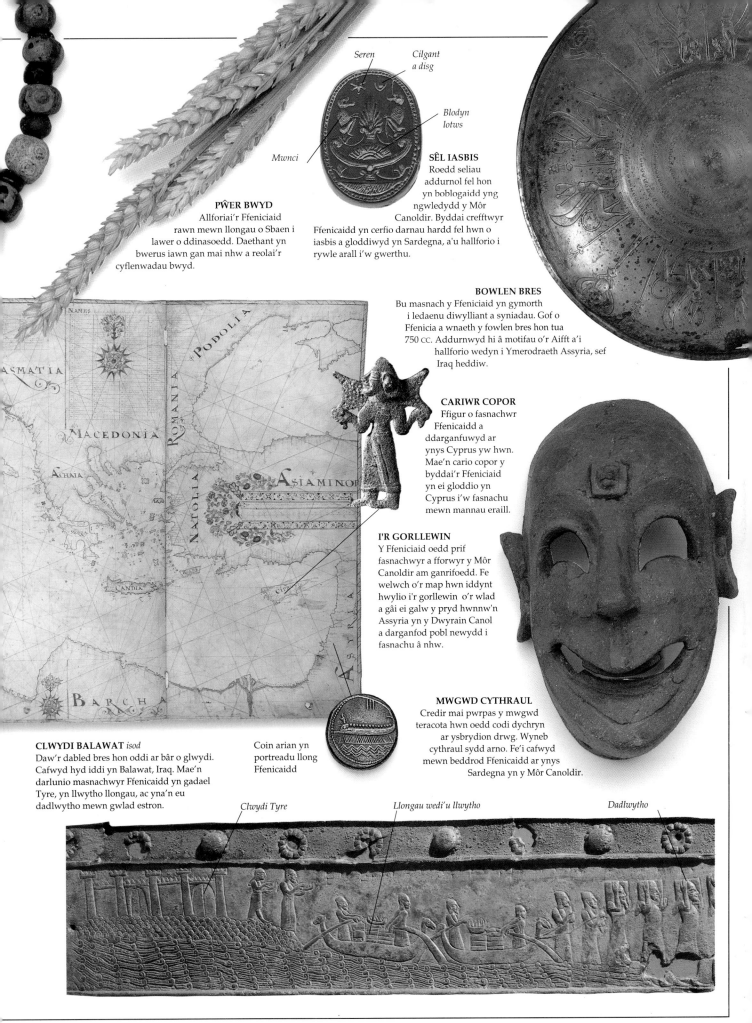

PWÊR BWYD
Allforiai'r Ffeniciaid
rawn mewn llongau o Sbaen i
lawer o ddinasoedd. Daethant yn
bwerus iawn gan mai nhw a reolai'r
cyflenwadau bwyd.

Seren *Cilgant a disg*

Mwnci *Blodyn lotws*

SÊL IASBIS
Roedd seliau
addurnol fel hon
yn boblogaidd yng
ngwledydd y Môr
Canoldir. Byddai crefftwyr
Ffenicaidd yn cerfio darnau hardd fel hwn o
iasbis a gloddiwyd yn Sardegna, a'u hallforio i
rywle arall i'w gwerthu.

BOWLEN BRES
Bu masnach y Ffeniciaid yn gymorth
i ledaenu diwylliant a syniadau. Gof o
Ffenicia a wnaeth y fowlen bres hon tua
750 CC. Addurnwyd hi â motifau o'r Aifft a'i
hallforio wedyn i Ymerodraeth Assyria, sef
Iraq heddiw.

CARIWR COPOR
Ffigur o fasnachwr
Ffenicaidd a
ddarganfuwyd ar
ynys Cyprus yw hwn.
Mae'n cario copor y
byddai'r Ffeniciaid
yn ei gloddio yn
Cyprus i'w fasnachu
mewn mannau eraill.

I'R GORLLEWIN
Y Ffeniciaid oedd prif
fasnachwyr a fforwyr y Môr
Canoldir am ganrifoedd. Fe
welwch o'r map hwn iddynt
hwylio i'r gorllewin o'r wlad
a gâi ei galw y pryd hwnnw'n
Assyria yn y Dwyrain Canol
a darganfod pobl newydd i
fasnachu â nhw.

MWGWD CYTHRAUL
Credir mai pwrpas y mwgwd
teracota hwn oedd codi dychryn
ar ysbrydion drwg. Wyneb
cythraul sydd arno. Fe'i cafwyd
mewn beddrod Ffenicaidd ar ynys
Sardegna yn y Môr Canoldir.

CLWYDI BALAWAT *isod*
Daw'r dabled bres hon oddi ar bâr o glwydi.
Cafwyd hyd iddi yn Balawat, Iraq. Mae'n
darlunio masnachwyr Ffenicaidd yn gadael
Tyre, yn llwytho llongau, ac yna'n eu
dadlwytho mewn gwlad estron.

Coin arian yn
portreadu llong
Ffenicaidd

Clwydi Tyre *Llongau wedi'u llwytho* *Dadlwytho*

Alldeithiau'r Eifftiaid

Datblygodd gwareiddiadau cynharaf y byd ar diroedd bras y Dwyrain Canol, a'r Aifft yn un ohonynt. Erbyn 3000 CC roedd yr Aifft yn wladwriaeth â threfi a dinasoedd niferus yn nyffryn ffrwythlon Afon Nîl. Dysgodd eu hoffeiriaid yr Eifftiaid fod y byd yn fflat ac yn betryal, a bod pedwar piler anferth ym mhob cornel yn dal y nen i fyny, a thu hwnt iddynt gorweddai'r Cefnfor, 'darn enfawr o ddŵr rhedegog'. Ar y dechrau arhosodd yr Eifftiaid yn nyffryn Afon Nîl, ond yn fuan dechreuasant deithio ymhellach i chwilio am bobloedd newydd i fasnachu â nhw. Un o fordeithiau enwocaf yr Aifft oedd honno i Punt a gafodd ei gwneud ar orchymyn y Frenhines Hatshepsut (gweler isod). Er gwaethaf yr alldaith hon, mynnodd yr offeiriaid fod y pileri a ddaliai'r nen i fyny ymhellach i ffwrdd nag a feddylient!

CYCHOD CORSEN
Cyn i'r Eifftiaid ddod o hyd i bren cedrwydd i adeiladu llongau a allai fynd ar gefnfor, cyfyngwyd eu hwylio i Afon Nîl. Cafodd cychod Afon Nîl eu gwneud o gorsenni'n glwm wrth ei gilydd i wneud fframwaith a fyddai'n crymu ychydig tuag i mewn.

CARTOUCHE BRENHINOL
Mae *cartouche* yn hirgrwn ac arno mae arysgrif o enw'r brenin neu'r frenhines. Dyma *cartouche* y Frenhines Hatshepsut.

Faience

Lapis lazuli

MODRWYAU CHWILEN
Carreg ar siâp chwilen scarab oedd modrwyau'r Eifftiaid yn aml. Mae *cartouche* y Frenhines Hatshepsut arnynt ac roeddynt yn eiddo i swyddogion y Frenhines. Cawsant eu gwneud o aur, *faience* (sef crochenwaith wedi ei wydro), a *lapis lazuli* a fewnforiwyd o wledydd eraill.

Y FRENHINES HATSHEPSUT
Tua 1490 CC anfonodd y Frenhines Hatshepsut lynges i'r de trwy'r Môr Coch. Mae'n bosibl i'r llynges fynd mor bell â Chefnfor India. Darganfuwyd gwlad o'r enw Punt (mwy na thebyg Somalia, Dwyrain Affrica, heddiw) a'u llonnodd yn fawr oherwydd cawsant ifori, eboni, a choed myrr yno.

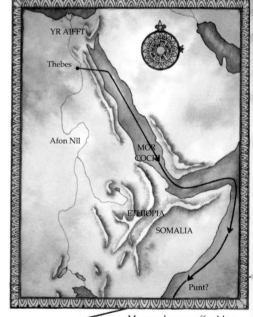

Map yn dangos y ffordd yr aeth yr Eifftiaid i Punt

LLONG BREN *isod*
Wedi tua 2700 CC dechreuodd yr Eifftiaid adeiladu llongau hwylio pren a allai fynd ar fordeithiau hir. Hwylient ar hyd glannau'r Môr Canoldir i fasnachu â gwledydd cyfagos.

Blaen y llong

WYNEBAU PERT
Hoffai bonedd yr Aifft ddefnyddio llawer o golur a chadwent ef mewn cynwysyddion fel hwn. Fforiodd y masnachwyr lawer o Ogledd Affrica yn chwilio am yr elfennau i wneud colur.

Rhaff drwchus a dynnwyd yn dynn i atal y llong rhag rhoi ar bob pen iddi

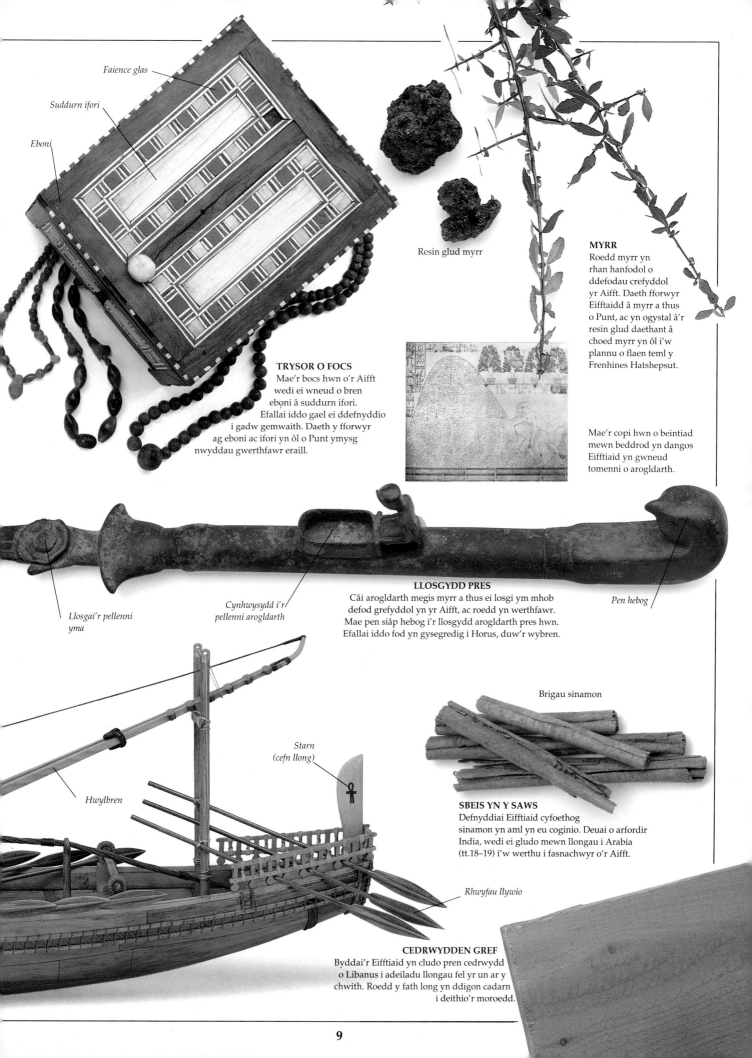

Faience glas

Suddurn ifori

Eboni

Resin glud myrr

MYRR
Roedd myrr yn rhan hanfodol o ddefodau crefyddol yr Aifft. Daeth fforwyr Eifftaidd â myrr a thus o Punt, ac yn ogystal â'r resin glud daethant â choed myrr yn ôl i'w plannu o flaen teml y Frenhines Hatshepsut.

TRYSOR O FOCS
Mae'r bocs hwn o'r Aifft wedi ei wneud o bren eboni â suddurn ifori. Efallai iddo gael ei ddefnyddio i gadw gemwaith. Daeth y fforwyr ag eboni ac ifori yn ôl o Punt ymysg nwyddau gwerthfawr eraill.

Mae'r copi hwn o beintiad mewn beddrod yn dangos Eifftiaid yn gwneud tomenni o arogldarth.

LLOSGYDD PRES
Câi arogldarth megis myrr a thus ei losgi ym mhob defod grefyddol yn yr Aifft, ac roedd yn werthfawr. Mae pen siâp hebog i'r llosgydd arogldarth pres hwn. Efallai iddo fod yn gysegredig i Horus, duw'r wybren.

Llosgai'r pellenni yma

Cynhwysydd i'r pellenni arogldarth

Pen hebog

Brigau sinamon

Starn (cefn llong)

Hwylbren

SBEIS YN Y SAWS
Defnyddiai Eifftiaid cyfoethog sinamon yn aml yn eu coginio. Deuai o arfordir India, wedi ei gludo mewn llongau i Arabia (tt.18–19) i'w werthu i fasnachwyr o'r Aifft.

Rhwyfau llywio

CEDRWYDDEN GREF
Byddai'r Eifftiaid yn cludo pren cedrwydd o Libanus i adeiladu llongau fel yr un ar y chwith. Roedd y fath long yn ddigon cadarn i deithio'r moroedd.

Ymerodraethau'n ymledu

JASON A'R ARGONAUTIAID
Mae hi bron yn sicr mai fersiynau rhamantaidd o alldeithiau fforio go iawn yw chwedlau hynafol Groeg am Jason y morwr dewr a hwyliodd i wledydd pell.

YN YSTOD Y CYFNOD rhwng tua 350 CC ac OC 500 bu dwy ymerodraeth fawr yn arglwyddiaethu dros wledydd glannau'r Môr Canoldir. Roedd Alexander Fawr, brenin Macedonia (sydd yn awr yn rhan o ogledd Groeg), yn bennaeth ar ymerodraeth enfawr yn ymestyn o Roeg i'r Aifft. Wedyn daeth yr Ymerodraeth Rufeinig a oedd hyd yn oed yn fwy o faint ac yn ymestyn o ogledd Prydain i ddiffeithwch Sahara yn Affrica, ac o'r Môr Du i Gefnfor Iwerydd. Roedd hon yn adeg nodedig am fforio ac ymestyn ffiniau ar dir a môr.

Anfonodd Alexander lysgenhadon i ogledd India i gysylltu â'r bobl yno. Anfonodd ymerawdwyr Rhufain lawer o alldeithiau i Ewrop ac i'r de i Affrica. Ond bu marchnatwyr preifat a theithwyr hefyd yn fforio a gwelir tystiolaeth o'u gweithgarwch ar y tudalennau hyn. Ceir hanes i un masnachwr o Roeg hwylio i Wlad yr Iâ i chwilio am diroedd newydd, a Rhufeiniaid yn masnachu â nomadiaid canol Asia.

Anfonodd Alexander beunod yn ôl o India i Roeg

YR HEBOG
Daethpwyd o hyd i'r tlws aur Groegaidd hwn yn Ephesus, dinas hynafol Roegaidd i'r de o Izmir, sydd heddiw yn Nhwrci.

MASNACHU YN Y DE
Darganfuwyd y babŵn bach carreg hwn ar safle Naucratis, trefedigaeth Roegaidd yn nelta Afon Nîl. Sefydlwyd y drefedigaeth tua 540 CC gan fasnachwyr o Roeg fu'n masnachu am sbeisys o Arabia ac ifori o Affrica.

ALEXANDER FAWR
Yn 334 CC arweiniodd Alexander, brenin Macedonia, fyddin o Roeg i Ymerodraeth Fawr Persia. Erbyn 327 CC roedd wedi gorchfygu ardal a ymestynnai o'r Aifft yn y gorllewin i Afon Indus yn Pakistan yn y dwyrain. Y flwyddyn ddilynol gorchfygodd rannau o ogledd India cyn dychwelyd i Persia. Oherwydd ei ymerodraeth enfawr gallai masnachwyr a theithwyr Groeg dreiddio'n bell i Asia.

Ar y coin hwn gwelir Alexander yn ymosod ar frenin o India

PERYGLON Y FORDAITH
Mae'r lluniau ar y cwpan yfed hwn o Roeg yn dangos môr-ladron yn erlid llong fasnach. Roedd masnachwyr a ddychwelai o diroedd pell yn llwythog â thrysorau yn ysglyfaeth hawdd i fôr-ladron.

Map

MÔR DU
MACEDONIA
Cyzicus
GROEG
TWRCI
Afon Tigris
MÔR CASPIA
Afon Oxus
Y MÔR CANOLDIR
Byblos
Sidon
Tyre
Babilon
PERSIA
Afon Ewffrates
Alexandria
AFFRICA
YR AIFFT
Memphis
ARABIA
PAKISTAN
Afon Indus
INDIA
Diffeithwch Sahara
Afon Nîl
GWLFF PERSIA

Dengys y map hwn lwybr Alexander

FFRWYTHAU'R MÔR
Cafodd y plât Groegaidd hwn ei wneud yn Apulia, yn ne'r Eidal lle ymsefydlodd Groegiaid. Roedd pysgota'n ddiwydiant pwysig yno a masnachwyd pysgod wedi'u sychu trwy wledydd y Môr Canoldir gan fasnachwyr Groegaidd.

Yn aml roedd pen alarch cerfiedig ar starn llongau Rhufain

ADFEILION RHUFEINIG
Gynt byddai'r ddinas adfeiliedig hon, sydd yn Algeria, Gogledd Affrica, yn llawn o fasnachwyr yn masnachu â nomadiaid y diffeithwch am aur ac ifori, ac am gaethion o diroedd i'r de o ddiffeithwch Sahara.

Yr efeilliaid Romulus a Remus a sefydlodd ddinas Rhufain, yn ôl yr hen hanes

Rhwyf lywio

LLONG FASNACH RUFEINIG
Roedd gan longau masnach yr Ymerodraeth Rufeinig ddau hwylbren a howld llydan i ddal cargo sylweddol. Ni allent hwylio yn erbyn y gwynt ac ni fyddent yn gadael y lan ond pan fyddai'r gwynt yn ffafriol. Byddent yn dod ag anifeiliaid gwyllt yn ôl o Affrica i ymladd â'r gladiatoriaid Rhufeinig ac yn cario llwythi drud o emau, sbeisys, a sidanau o Asia (tt.16–17).

Bowlen wydr Rhufeinig

FFORWYR–FASNACHWYR
Darganfuwyd y cwpan arian Rhufeinig ar y dde ym Mhrydain. Credir iddo gael ei fewnforio gan fasnachwyr Rhufeinig. Dyma'r Rhufeiniaid cyntaf, ar wahân i filwyr Cesar, i fforio Prydain. Yn nwyrain y Môr Canoldir y cafwyd y fowlen wydr ar y chwith.

Coin Indiaidd

Coin Arabaidd

Cwpan arian Rhufeinig

EFELYCHIADAU ESTRON
Ymledodd dylanwad Rhufain ymhell y tu hwnt i ffiniau'r Ymerodraeth. Ceir dylanwadau Rhufeinig ar y coinau hyn ond yn Arabia ac India y bathwyd nhw.

Blaen llong ryfel Rhufeinig

CESAR YN FFRAINC
Cafodd y coin Rhufeinig hwn ei wneud yn nhrefedigaeth Rufeinig Vienne yn ne Ffrainc tua 36 CC. 'Colonia Julia Viennensis' sef Trefedigaeth Julius Cesar yn Vienne yw ystyr y llythrennau 'CI V'.

Mordeithiau'r Llychlynwyr

ANAML Y BU EWROP YN YSTOD dechrau'r Oesoedd Canol yn rhydd o ymosodiadau'r Llychlynwyr. O'r 8fed i'r 12fed ganrif gadawodd llongau'n llawn o Lychlynwyr eu cartrefi yn Sgandinafia i fynd ar alldeithiau fforio, gan ddifrodi ac anrheithio'r cymunedau anffodus y daethant o hyd iddynt ym Mhrydain ac ar lannau'r Môr Canoldir. Lladrata trysorau a chipio caethion oedd y pwrpas weithiau. Dro arall roedd eu bryd ar chwilio am diroedd newydd ar draws Cefnfor Iwerydd lle y gallent ymsefydlu am fod y tir ffermio'n brin yn Sgandinafia. Masnachwyr oedd Llychlynwyr Sweden ac roedd eu golygon nhw ar diroedd dwyrain Ewrop ac Asia. Eu bwriad oedd datblygu marchnadoedd masnachu newydd. Ar ôl tua 1200 daethant yn fwy sefydlog a daeth eu teithio byd i ben.

EIRIK GOCH

Roedd Eirik yn Llychlynwr ac yn fforiwr nodweddiadol. Ciliodd o Norwy i ddianc rhag dedfryd llys barn am lofruddio, ac ymsefydlodd yng Ngwlad yr Iâ. Yn y wlad honno lladdodd ymsefydlydd, cyn hwylio i'r gorllewin a darganfod gwlad â gwastatiroedd ffrwythlon ar hyd ei harfordir a alwodd yn Grønland. Darbwyllodd lawer o Lychlynwyr i ymsefydlu yno.

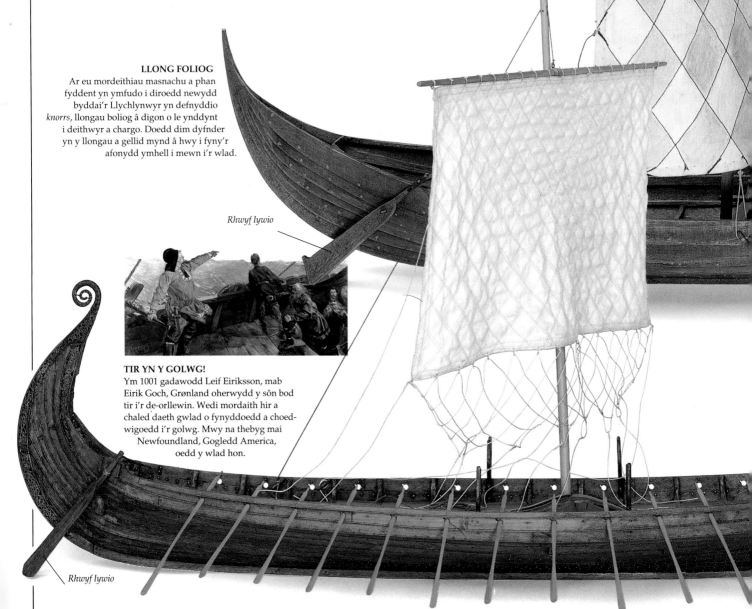

LLONG FOLIOG

Ar eu mordeithiau masnachu a phan fyddent yn ymfudo i diroedd newydd byddai'r Llychlynwyr yn defnyddio *knorrs*, llongau boliog â digon o le ynddynt i deithwyr a chargo. Doedd dim dyfnder yn y llongau a gellid mynd â hwy i fyny'r afonydd ymhell i mewn i'r wlad.

Rhwyf lywio

TIR YN Y GOLWG!

Ym 1001 gadawodd Leif Eiriksson, mab Eirik Goch, Grønland oherwydd y sôn bod tir i'r de-orllewin. Wedi mordaith hir a chaled daeth gwlad o fynyddoedd a choed-wigoedd i'r golwg. Mwy na thebyg mai Newfoundland, Gogledd America, oedd y wlad hon.

Rhwyf lywio

MORDEITHIAU'R LLYCHLYNWYR

Teithiodd y Llychlynwyr ymhell i fasnachu â gwledydd newydd, i ymsefydlu ynddynt, ac i'w hanrheithio. Byddai'r masnachwyr a'r anrheithwyr yn mynd i Ewrop a gwledydd y Môr Canoldir. Roedd y rhai a groesai Gefnfor Iwerydd i Grønland a Gogledd America yn ymsefydlwyr gan mwyaf.

Hwyl sengl sgwâr

Y pin heb dorri i ffwrdd ar y tlws hwn

Tameidiau o arian

Y pin yn eisiau o'r tlws hwn

TRYSOR CUDD

Aeth llawer o'r Llychlynwyr ar fordeithiau hir i ladrata aur ac arian. Claddwyd y darnau hyn o arian i'w diogelu yn y ddaear yn Swydd Efrog, Lloegr, ond ni ddaeth eu perchennog yn ôl i'w hawlio. Cafodd y tlws heb bin ei ladrata o Iwerddon, mwy na thebyg.

AUR O IWERDDON

Yn Iwerddon y darganfuwyd y fodrwy aur hon a gafodd ei gwneud gan y Llychlynwyr. Goresgynnwyd ardaloedd helaeth ganddynt yno.

TYSTIOLAETH BENDANT

Darganfuwyd esiampl o'r geiniog Lychlynaidd hon o'r Brenin Olaf Kyrre, Norwy, yn Newfoundland, Gogledd America, yn ddiweddar – tystiolaeth ffeithiol i'r Llychlynwyr gyrraedd Gogledd America.

LLONG FAIN

Llongau hir, main a ddefnyddiai'r Llychlynwyr yn bennaf ar eu cyrchoedd, ond byddent yn eu defnyddio hefyd ar fordeithiau pell. Roeddynt yn llawer hirach a meinach na'r *knorr* ac yn gyflymach, ond heb gymaint o le ynddynt.

Byddent yn defnyddio rhwyfau pan ostegai'r gwynt

Bwyell ymladd lafn-lydan a gafwyd yn Afon Tafwys, Llundain

Suddurn o wifren gopor ac arian tro

ARFAU MINIOG

Câi arfau'r Llychlynwyr eu gwneud yn grefftus a byddent yn eu trysori yn fwy na dim bron. Y waywffon oedd arf yr ymladdwyr cyffredin; defnyddiai'r ymladdwyr mwy proffesiynol fwyeill mawr. Darganfuwyd y pennau gwaywffon a'r pen bwyell i gyd yn Llundain.

Canŵ mawr dwbl teulu oedd yn ymfudo

Ymsefydlwyr Polynesaidd

Pan gyrhaeddodd Ewropeaid ynysoedd pellennig y Cefnfor Tawel gyntaf (tt.62–3), cawsant fod y Polynesiaid yn byw yno. Morwyr oeddynt, a'r adeg pan oedd y Ffeniciaid yn fforio'r Môr Canoldir (tt.6–7) roedd y Polynesiaid yn hwylio o un ynys i'r llall filoedd o filltiroedd i'r dwyrain ar draws y Cefnfor Tawel. Mewn canŵod cymharol fychan y teithient, ond roeddynt yn gryf ac yn solet a'r Polynesiaid yn forwyr a mordwywyr medrus. Roeddy yn gwybod cyfeiriad y tir o siâp a maint y tonnau ac ymddygiad creaduriaid y môr.

Credir mai'r prif reswm dros y y mordeithiau fforio hyn oedd darganfod ynysoedd newydd i ymsefydlu ynddynt. Roedd y boblogaeth yn fawr ac wrth i un ynys orlenwi byddai teuluoedd yn gadael i chwilio am ynys arall i fyw arni.

ADERYN A THONNAU

Cymerai'r Polynesiaid ofal mawr o'u canŵod. Dyma lun pen blaen canŵ mawr ac arno gerfiadau manwl pren o aderyn a thonnau.

Cragen cowrie

Tonnau

PADL POLYNESAIDD

Daw'r padl cerfiedig cain hwn o Seland Newydd. Defnyddir padlau tebyg iddo yn y llun ar dop y dudalen.

CANŴ TAITH FER *isod*

Model o ganŵ bach i fynd ar deithiau byr rhwng ynysoedd cyfagos ac i bysgota. Boncyff coeden wedi ei gafnu yw hwl y canŵ ac mae ganddo allanrig sy'n ei wneud yn fwy sefydlog trwy wneud gwaelod yr holl ganŵ yn lletach.

CANŴ MODERN *chwith*

Gwelir nodweddion y canŵ Polynesaidd traddodiadol yn y canŵ rasio modern hwn o Papua Guinea Newydd (tt.62–3). Er iddo gael ei wneud o wydr ffibr, mae o'r un siâp a chanddo'r un allanrig i'w sefydlogi.

Allanrig

YMLACIO AR LAN Y MÔR

Darganfu'r fforwyr Ewropeaidd fod y Polynesiaid yn gallu mwynhau bywyd, a pha ryfedd â hwythau'n cael tywydd braf ar hyd y flwyddyn.

Gwallt dynol

Ffibr cneuen goco

Mae pwynt pigog ac effeithiol iawn i'r waywffon

Gwaywffon Bolynesaidd

NECLIS CRAGEN

Mae'r neclis hwn o gragen ffibr cneuen goco a gwallt dynol yn dod o Ynysoedd Cook hefyd. Penaethiaid a'u teuluoedd fyddai'n gwisgo'r fath addurn coegwych.

Cragen

ARFAU RHYFEL

Roedd cymdeithas y Polynesiaid yn un dreisgar ac roedd rhyfela ac ymladd ymysg ei gilydd yn gyffredin. Weithiau byddai cweryl teuluol yn para o un genhedlaeth i'r llall ac yn hawlio bywydau cannoedd o bobl cyn dod i ben. Roedd eu harfau'n syml ond yn effeithiol, a byddinoedd y llwythau'n ymladd yn ddisgybledig ac yn ddewr, ac weithiau'n dewis marw yn hytrach na goddef gwarth ildio.

...WC DDA WRTH BYSGOTA

...edai'r Polynesiaid fod i bob lle a ...reithgarwch ei dduw neu ei ...oryd ei hun. Dyma dduw'r canŵ ...Ynysoedd Cook a ddeuai â ...c dda i bysgotwyr.

Pastwn rhyfel Polynesaidd

Dant siarc

Gwallt

SGERT SWAE *uchod*

Mae'r sgert wellt hon wedi'i gwneud o'r rhisgl y tu mewn i'r planhigyn hibiscus (tt.50–51). Roedd dillad ysgafn fel hyn yn gyffyrddus yn y tywydd poeth ac yn caniatáu i'r gwisgwr symud yn hawdd.

CRIB WALLT

Byddai'r Polynesiaid yn addurno'u cribau â gwallt dynol wedi ei blethu.

Un o ynyswyr Fiji mewn gwisg dawnsio

Dagr Polynesaidd

15

Y Ffordd Sidan

Trên camelod

PŴER PWRCASU
Roedd sidan a phorslen China yn boblogaidd iawn yn Ewrop. Câi'r coinau arian Sbaenaidd hyn eu danfon i China yn gyfnewid am nwyddau. Fe welwch farciau ar lawer ohonynt lle mae marchnatwyr wedi eu torri i weld a oeddynt o arian solet.

Marciau gwirio

NID AR FÔR YN UNIG Y TEITHIAI'R fforwyr. Mae'r Ffordd Sidan yn un o'r ffyrdd hynaf a phwysica ar draws tir ac yn dyddio o tua 500 CC. Defnyddiwyd hi nes i lwybrau'r môr gael eu hagor tua 1650. Ar hyd y ffordd hon y byddai'r fasnach rhwng China ac Ewrop yn symud, y masnachwyr Chineaidd yn anfon sidan a sbeisys i'r gorllewin i Ewrop dros fynyddoedd ac anialdiroedd brawychus Asia, ac aur, arian, a cheffylau'n cael eu mewnforio i China. Ni theithiodd neb ar hyd yr holl Ffordd Sidan nes i Marco Polo wneud hynny yn y 13eg ganrif. Roedd y ffordd tua 7,000 km (4,300 milltir) o hyd ac yn beryglus iawn, ac nid oedd neb yn gwybod i sicrwydd beth oedd ar y pen arall. Âi trwy nifer o wledydd lle byddai pob pennaeth yn mynnu rhoddion neu arian gan deithwy. Hefyd byddai lladron yn aml yn ymosod ar y trenau camelod a'u gofalwyr. Oherwydd y peryglon byddai marchnatwyr yn pasio'r sidan o un i'r llall heb i un ohonynt deithio mwy nag ychydig gannoedd o kilometrau ar y tro. Diflannodd pwysigrwydd y Ffordd Sidan yn raddol wrth i'r llongau Ewropeaidd ddechrau masnachu'n rheolaidd â China trwy hwylio o gwmpas de Affrica.

SIDAN MOETHUS
Y cynnyrch pwysicaf a gariwyd ar hyd y Ffordd Sidan oedd sidan, fel y darn hwn. Cadwodd y Chineaid gyfrinach gwneud sidan am ganrifoedd.

Dolenni draig

Mownt o arian ddaeth o Dwrc yr ymyl

Jar o'r cyfnod Yuan, y 14eg ganrif

Plât Chineaidd o'r 16eg ganrif a gafodd ei wneud i'r farchnad Bortiwgeaidd

Motif llong ryfel Bortiwgeaidd

PORSLEN O'R DWYRAIN
Mae porslen yn grochenwaith. Mae'n galed iawn ac yn dryloyw (yn gadael i'r goleuni fynd drwyddo) a'r Chineaid a'i dyfeisiodd. Roedd yn rhy fregus i'w gludo wrth y llwyth ar hyd y Ffordd Sidan, ond masnachwyd rhai darnau bach gan fod y galw amdano mor fawr. Ni ddechreuodd y fasnach mewn porslen o ddifrif nes i'r fasnach longau agor yn yr 17eg ganrif.

Bowlen o'r cyfnod Ming, sef y 14eg–15fed ganrif, a gafwyd yn Kenya

JWNC

[l]ong fawr Chineaidd yw hon,
[â] math a hwyliai i ynysoedd
[In]donesia (tt.62–3) i brynu
[sb]eisys. Roedd gwaelod y llong
[yn f]flat iddi allu cario cargo
[sy]lweddol. Credir y gallai
[llo]ngau fel hon fod wedi
[cy]rraedd arfordir
[go]gledd Awstralia.

*Stribedi pren i
anhyblygu'r
hwyliau*

Byddai'r fforiwr Chineaidd
Cheng Ho'n hwylio mewn
jwnc fel hon, mwy na
thebyg, yn ystod ei deithiau
i India a Dwyrain Affrica
(1404–33).

*Dwy hwyl
sbâr*

*Y Iebyg yw mai adeiladwyr
llongau Chineaidd a
ddyfeisiodd y llyw*

SWYDDOG RWSIAIDD

[R]oedd Nicolay Przhevalsky
[y]n swyddog ym myddin
[R]wsia. Cafodd ddigon ar
[y fy]wra a throdd yn fforiwr.
[Y]n 1867 arweiniodd alldaith
[a]rwrol i fforio tiroedd eang
[C]anolbarth Asia. Yn
[ddi]weddarach arweiniodd
[b]edair alldaith i ardaloedd
[an]hysbys Canol Asia lle y
[d]arganfu wledydd na wyddai
[Ew]ropeaid am eu bodolaeth.

FFORDD BERYGLUS
Mae'r map yn dangos y Ffordd
Sidan a'r llwybr a gymerodd
Marco Polo (gweler isod).
Croesodd Asia ar y Ffordd
Sidan, taith a gymerodd bedair
blynedd. Er gwaethaf lladron,
clefydau, a'r diffeithwch,
llwyddodd i ddychwelyd ar
draws y môr i Persia ac yna i
Venezia. Ysgrifennodd hanes
ei deithiau ond credai llawer
yn Ewrop mai ffrwyth
dychymyg oeddynt.

Y Ffordd Sidan
Llwybr Marco Polo

EWROP RWSIA

Venèzia

Caergystennin

TWRCI ASIA

Tabriz

Maragheh

Acre Sultaniyeh

Herat Balkh Kashgar Shachow Ning-
hsia Ta-tu

HINDU KUSH

Kerman

Hormuz

Delhi

MYNYDDOEDD
HIMALAYA

Shang-tu

Feng-yuan

CHINA

Chengtu

Tagaung

INDIA

CEFNFOR
INDIA

BAE
BENGAL

YNYSOEDD
SBEIS

[c]anlyn o fap o'r Iseldiroedd
[y]n yr 17eg ganrif yn dangos
[m]asnachwyr yn y Dwyrain.

MARCO POLO
Ym 1271 teithiodd masnachwr o Venezia o'r enw Marco Polo i China
ar hyd y Ffordd Sidan yng nghwmni ei dad a'i ewythr oedd eisoes
wedi bod yn ymweld ag Ymerawdwr China, Kublai Khan. Treuliodd
nifer o flynyddoedd yn China yn gweithio fel swyddog gwladol cyn
dychwelyd i Venezia. Mae'r darlun yn dangos teulu
Marco Polo yn cyrraedd y ddinas Foslemaidd
Hormuz yng Ngwlff Persia.

Y FFORIWR ARTISTIG
Lle bynnag y teithiai Sven
Hedin, y fforiwr o Sweden,
gwnâi frasluniau a pheintiadau
o'r hyn a welai. Aeth ar nifer o
deithiau i Ganolbarth Asia
rhwng 1890 a 1934 yn fforio ac
yn mapio tiroedd newydd.
Carcharwyd ef ddwywaith gan
ladron a bu bron marw o
syched unwaith.

OOST
INDIEN.

WASSENDE-GRAADE PASKAART.

Anturwyr Arabaidd

Masnachwr stryd Arabaidd

Teithiodd milwyr Arabaidd bellteroedd anferth i orchfygu'r ymerodraeth a ymestynnai o ogledd Sbaen ar draws Gogledd Affrica ac i India yn y 6ed a'r 7fed ganrif. Pwrpas y rhyfeloedd sanctaidd hyn oedd lledu'r ffydd Islamaidd, a sefydlwyd llawer o gymunedau Moslemaidd. Hefyd ymwthiodd masnachwyr Arabaidd ym mhob cyfeiriad i ddarganfod ardaloedd newydd lle gallent fasnachu. Ar y dechrau byddent yn osgoi hwylio ar y cefnfor a alwent yn 'Fôr Tywyllwch'. Aethant ar draws y Sahara ar gefn camelod a threiddio i ganol Asia ar gefn ceffylau. Ond erbyn y 13eg ganrif roeddynt yn defnyddio'r *dhow* i groesi Cefnfor India i brynu sidanau, sbeisys, a gemwaith o India, Indonesia, a China. Byddai llongau eraill yn hwylio ar hyd arfordir Dwyrain Affrica i nôl caethion (tt.46–7), ifori, ac aur.

Y FASNACH GAETHION
Deuai llawer o gyfoeth yr Arabiaid o'r fasnach gaethion. Byddent yn cael rhai ohonynt o Ewrop ac Asia, ond y mwyafrif o Affrica. Byddent yn eu cipio mewn brwydrau neu'n eu prynu gan lwythau lleol, ac yna'n mynd â nhw yn ôl i Ogledd Affrica i'w gwerthu i bendefigion neu i grefftwyr.

CADWYNAU CERDDED
Parhaodd masnach gaethwasanaeth yr Arabiaid hyd ddiwedd y 19eg ganrif pan feddiannwyd y rhan fwyaf o Affrica gan bwerau Ewropeaidd (tt.46–7). Câi caethion a gipiwyd yng nghanol y wlad eu cloi mewn cadwynau i'w cerdded i'r arfordir.

CWADRANT ARABAIDD
Dyma un o'r offer mordwyo cynharaf. Dyfeisiwyd ef gan yr Arabiaid. Roedd y cwadrant yn chwarter cylch â llinell blwm wrtho.

Byddent yn cyfrifo'r lledred yn fras trwy linellu un ochr syth ar seren neu blaned, ac yna'n darllen safle'r llinell blwm

Câi'r cwadrant ei wneud o bren neu bres

Cyfarwyddiadau ysgrifenedig

Y *DHOW* DROS BYTH
Defnyddiwyd y *dhow* ers canrifoedd gan fasnachwyr Moslemaidd yng Ngwlff Persia a Chefnfor India. Criw bach sydd arnynt. Hwyliau trionglog latîn sydd ganddynt ar un neu ddau o hwylbrennau, a gallant hwylio'n agos iawn at y gwynt. Mewn *dhow* y byddai'r fforwyr Arabaidd cyntaf yn hwylio.

Daeth David Livingstone
(tt.46–7) â'r cadwynau
caethion Arabaidd hyn yn ôl
o un o'i deithiau i Affrica

Môr-ladron yn
ymosod ar
Ibn Batutta

MÔR-LADRON AHOI!

Roedd Ibn Batutta'n
fforiwr Arabaidd enwog a
dreuliodd 30 o flynyddoedd yn fforio
tiroedd newydd. Croesodd y Sahara i
Afon Niger, cerddodd dros
fynyddoedd Hindu Kush i India,
hwyliodd i Sumatera a De China,
a theithiodd ar gefn ceffyl
i Mongolia.

NOSWEITHIAU ARABAIDD

Un o hoff arwyr storïau antur yr Arabiaid oedd
Sinbad y Morwr. Seiliwyd llawer o'r storïau ar
fordeithiau gwirioneddol. Roedd 'Hen Ŵr y Môr'
yn ddewin drwg fyddai'n dal ac yn caethiwo
morwyr, ond gorchfygwyd ef gan Sinbad.

TIMBUKTU

Ychydig i'r de o ddiffeithwch Sahara, roedd
Timbuktu unwaith yn dref bwysig. Âi
masnachwyr yno i werthu halen a thlysau
yn gyfnewid am aur, ifori a chaethion.
Defnyddiwyd y dref gan rai
teithwyr yn ganolfan i fforio
canoldir Affrica.

Oes Aur Fforio

Yₙ GYNNAR YN Y 15FED GANRIF o Bortiwgal y cychwynnodd mordeithiau mawr cyntaf 'Oes Aur Fforio'. Ym 1415, gwnaed y Tywysog Harri o Bortiwgal, sy'n enwog fel 'Harri'r Mordwywr', yn llywodraethwr dros borthladd Ceuta (Gogledd Moroco) a'r llongau yno. Defnyddiodd y llongau hyn i fforio arfordir gorllewin Affrica ac ariannodd nifer o alldeithiau a dreiddiodd ymhen amser hyd at Sierra Leone ar arfordir gogledd-orllewinol Affrica. Ariannodd brenhinoedd diweddarach Portiwgal alldeithiau o gwmpas Penrhyn Gobaith Da ar bwynt deheuol Affrica. Arweiniodd hyn at sefydlu llwybrau masnachu i India, China, ac ynysoedd Indonesia a Pilipinas – 'yr Ynysoedd Sbeis'. Trwy hyn daeth Portiwgal yn gyfoethog ac yn bwerus iawn oherwydd rheolai fasnach yn yr ardaloedd hyn.

Y TYWYSOG HARRI
Bu Harri'r Mordwywr ar ddwy fordaith, ac ariannodd lawer o alldeithiau fforio hyd at 1460. Sefydlodd ysgol fordwyaeth Bortiwgeaidd.

Nyth brân

Bowsbryd

Howld mawr i gario'r cargo

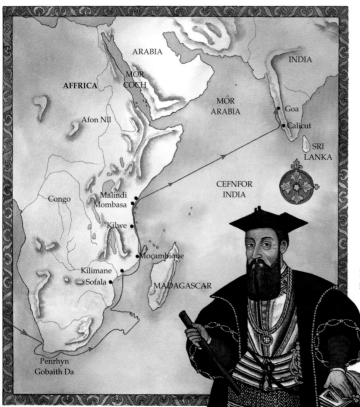

Y FFORDD I INDIA
Hwyliodd Vasco da Gama o amgylch Penrhyn Gobaith Da, yna i'r gogledd ar hyd arfordir dwyreiniol Affrica oedd yn anhysbys y pryd hwnnw, nes cyrraedd Malindi. Yno cwrddodd â morwr Arabaidd a ddangosodd iddo sut i ddefnyddio'r gwyntoedd monsŵn i groesi Cefnfor India i India.

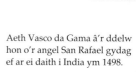

Llwybr Vasco da Gama i India

Aeth Vasco da Gama â'r ddelw hon o'r angel San Rafael gydag ef ar ei daith i India ym 1498.

VASCO DA GAMA
Roedd yn enwog am mai ef oedd yr Ewropead cyntaf i hwylio i India. Aeth ar ei fordaith hanesyddol o amgylch Penrhyn Gobaith Da i India ym 1497–8. Ddwy flynedd yn ddiweddarach dinistriodd y Moslemiaid lleol orsaf fasnachu a sefydlwyd yn India gan y Portiwgeaid. Arweiniodd da Gama lynges o longau rhyfel i ddial am hyn ac ym 1502 dinistriodd y llynges dref Calicut. Ym 1524 penodwyd da Gama yn rhaglaw Portiwgal yn India ond bu farw'n fuan ar ôl cyrraedd yno.

IFORI O AFFRICA
Pan agorwyd y ffordd fôr o Bortiwgal i Affrica, heidiodd masnachwyr Portiwgeaidd i Orllewin Affrica i gasglu'r ifori. Cafodd y ddelw ifori hon o forwr mewn nyth brân ei gwneud gan grefftwr o Orllewin Affrica yn yr 17eg ganrif.

COIN TUN
Erbyn diwedd yr 16eg ganrif roedd ymerodraeth Bortiwgeaidd fawr wedi datblygu yn y dwyrain ar sail y llwyddiant masnachol. Bathwyd y coin Portiwgeaidd hwn ym Malaya (Malaysia heddiw) ym 1511.

MENTER Y PORTIWGEAID
Ym 1469 rhoddodd Brenin Portiwgal i Fernao Gomes yr hawl fasnachu â Gorllewin Affrica, ar yr amod ei fod yn fforio 500 km (350 milltir) o'r arfordir bob blwyddyn. Gwelir yr arfordir a fforiodd erbyn 1475 ar y map uchod.

HOFF LONG Y FFORWYR
Byddai'r rhan fwyaf o'r fforwyr Portiwgeaidd cynnar yn hwylio mewn *caravéls*, sef llongau hwyliau bach o bren. Gallent wrthsefyll stormydd a chario cargo sylweddol. Oherwydd eu hwyliau trionglog gallent fanteisio ar wyntoedd yn chwythu o ochr y llong.

CWMPAWD ASIMWTH
Gwnaed y cwmpawd morwrol Portiwgeaidd hardd hwn ym 1780, ond gwelir ynddo gynllun cwmpawdau llawer cynharach.

CODI CROES
Ym 1487 hwyliodd Bartolomeu Diaz o amgylch Penrhyn Gobaith Da, Affrica; yr Ewropead cyntaf i wneud hyn. Cyn ymadael, cododd groes ar y penrhyn i nodi'r achlysur.

Y Byd Newydd

Ychydig a wyddai hyd yn oed yr Ewropeaid mwyaf dysgedig am y byd y tu draw i Ewrop ym 1480. Ymestynnai coedwigoedd amhosibl eu treiddio i'r de o ddiffeithwch Sahara yng Ngogledd Affrica. Anaml y byddai neb yn ymweld ag Asia ac mor rhyfeddol oedd storïau'r teithwyr am y lle fel mai ychydig oedd yn eu credu (tt.16–17). I'r gorllewin gorweddai'r Cefnfor Iwerydd anferth, ond ni wyddai neb ei led na beth oedd yr ochr arall. Yna, ym 1480 cyhoeddodd Christopher Columbus, y mordwywr Eidalaidd, iddo gyfrifo nad oedd China ond 4,500 km (2,795 milltir) i'r gorllewin. Ychydig a gredai hyn, ac yn ddiweddarach profwyd ei fod yn anghywir. Ond ariannodd brenin a brenhines Sbaen alldaith Columbus, a darganfu America yn y lle y disgwyliai weld China. Dyma un o fordeithiau pwysicaf Oes Aur y Fforiadau (tt.20–1).

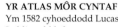

YR ATLAS MÔR CYNTAF
Ym 1582 cyhoeddodd Lucas Wagenaer o'r Iseldiroedd lyfr yn cynnwys gwybodaeth fanwl am arfordiroedd gorllewin Ewrop. Addurnwyd yr wynebddarlun (uchod) yn gelfydd â llongau ac offer morwrol.

SYR WALTER RALEIGH
Yn ystod diwedd yr 16eg ganrif ni lwyddodd Raleigh i sefydlu trefedigaethau Seisnig yn y 'y Byd Newydd' a ddarganfuwyd gan Columbus. Fodd bynnag, cofir amdano'n fwy am y tatws a'r planhigion tybaco y daeth ei gapteiniaid â nhw yn ôl yn y llongau.

GWELYAU CROG
Pan gyrhaeddodd Columbus a'i wŷr India'r Gorllewin, gwelsant y brodorion yno'n cysgu ar welyau crog a alwent yn 'harmorcas'. Copïodd y morwyr y syniad hwn a gwneud gwelyau sych na allai llygod eu cyrraedd uwchben y deciau gwlyb a brwnt. O'r gair hwn y daeth ein gair ni, hamog.

FFRWYTHAU MELYS
Roedd pobl y Byd Newydd a ddarganfu Columbus yn tyfu cnydau gwahanol iawn i'r rhai a dyfai yn Ewrop. Yn eu mysg roedd afalau pîn a'r tatws melys a gariwyd yn ôl i Ewrop.

GWOBRAU LLWYDDIANT
Pan ddychwelodd Columbus o'r fordaith gyntaf roedd wedi dod â phobl a phethau rhyfedd o'r Byd Newydd i'w cyflwyno i Ferdinand ac Isabella. Gwnaeth hyn gymaint o argraff arnynt fel y dyrchafwyd Columbus yn llyngesydd ac yn bendefig.

Baner Frenhinol Sbaen

Y DYN MAPIAU

Ym 1508 gwnaed Amerigo Vespucci, mordwywr o'r Eidal, yn Brif Beilot Brenhinol Sbaen. Rhaid oedd i holl gapteiniaid môr Sbaen roi iddo ef fanylion eu teithiau diweddaraf i'w hychwanegu at ei fapiau. Roedd ei fapiau o'r Byd Newydd gystal fel y cyfeiriai'r morwyr at y wlad fel 'Gwlad Amerigo' neu America.

GOSOD CWRS

Defnyddiai Columbus astrolab tebyg i hwn i fesur y lledred ar ei daith ddarganfod.

Y *SANTA MARIA*

Dyma long Columbus ar y fordaith, *caravél* o ogledd Sbaen. Roedd yn fyr ac yn gryf ac â thri hwylbren fel y ddwy long arall ar y fordaith hon, y *Nina* a'r *Pinta*. Pan ddrylliwyd hi ar arfordir ynysoedd India'r Gorllewin aeth Columbus i'r *Nina* ar gyfer y daith adref.

MAP O'R BYD NEWYDD

Aeth Columbus ar bedair mordaith i'r Byd Newydd. Treuliodd y rhan fwyaf o'i amser yn fforio India'r Gorllewin, ond ar ei drydedd daith cyrhaeddodd y tir mawr yn agos at Panama, Canolbarth America.

AUR Y BYD NEWYDD

Yn gyfnewid am ariannu'r alldaith, addawodd Columbus ddychwelyd ag aur i'r Brenin Ferdinand a'r Frenhines Isabella. Defnyddiwyd yr aur i wneud coinau fel hwn sydd â llun y brenin a'r frenhines arno.

GOGLEDD AMERICA

GWLFF MÉXICO

INDIA'R GORLLEWIN

Cuba

Jamaica · Haiti

Y CEFNFOR TAWEL

Panama   DE AMERICA

3edd Fordaith (1498)

CEFNFOR IWERYDD

Mordaith Gyntaf (1492–1493)

PORTIWGAL   SBAEN
Lisboa
· Palos

DIFFEITHWCH SAHARA

AFFRICA

O gwmpas y byd

Er mai FERDINAND MAGELLAN a gaiff y clod am y fordaith gyntaf o gwmpas y byd, ni chwblhaodd ef ei hun y fordaith. O'r pum llong yn ei lynges, un yn unig a ddaeth yn ôl sef y *Vittoria*, a hynny ar ôl taith dair blynedd arbennig o anodd. Nid oedd Magellan arni. Portiwgead o dras fonheddig oedd Ferdinand Magellan. Fel Columbus cyn hyn (tt.22–3) credai y gallai hwylio tua'r gorllewin i'r Ynysoedd Sbeis yn y Dwyrain. Erbyn 1500 roedd Portiwgal wedi sefydlu llwybr môr i'r Ynysoedd Sbeis o gwmpas Penrhyn Gobaith Da (tt.62–3). Roedd Sbaen yn awyddus i ymuno yn y fasnach broffidiol hon oedd gan Bortiwgal, ac ym 1519 comisiynodd Magellan i wneud ffordd yno tua'r gorllewin. Aeth y daith ag ef trwy'r culfor peryglus a stormus ar waelod De America a elwir yn awr yn Gulfor Magallanes. Pan gyrhaeddodd y môr llonydd yr ochr arall, cyfeiriodd Magellan ato fel 'môr tawelwch' neu'r 'Cefnfor Tawel'. Ef oedd yr Ewropead cyntaf i hwylio o Gefnfor Iwerydd i'r Cefnfor Tawel.

AHOI! ANGHENFIL!
Adeg Magellan roedd ar forwyr ofn rhyw angenfilod enfawr fel seirff a allai, yn ôl a gredent hwy, eu llyncu a suddo'r llongau.

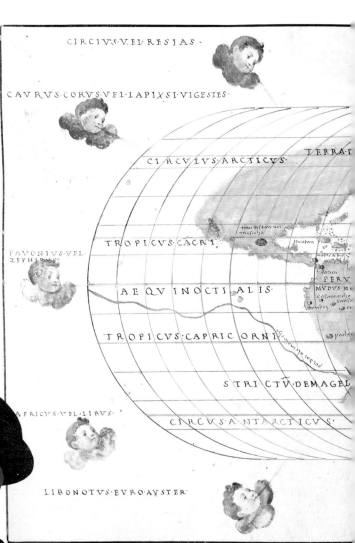

Llawysgrif 16eg ganrif Antonio Pigafetta yn dangos mordaith Magellan

FERDINAND MAGELLAN
Anturiwr Portiwgeaidd o dras fonheddig oedd Magellan. Ym 1519 darbwyllodd Siarl I o Sbaen y gallai gyrraedd yr Ynysoedd Sbeis yn y Dwyrain trwy hwylio o amgylch yr Horn ac ar draws y Cefnfor Tawel. Llwyddodd i gyrraedd yr Ynysoedd ond lladdwyd ef mewn brwydr ar un ohonynt.

CYLCHU'R BYD
Tynnwyd map Battista Agnese wedi i'r *Vittoria* ddychwelyd. Mae'n dangos taith Magellan trwy Gulfor Magallanes ond nid yw'n glir faint o dir sydd i'r de. Rhoddir bras amcan o faint y Cefnfor Tawel er nad yw Awstralia a'r rhan fwyaf o'r ynysoedd arno.

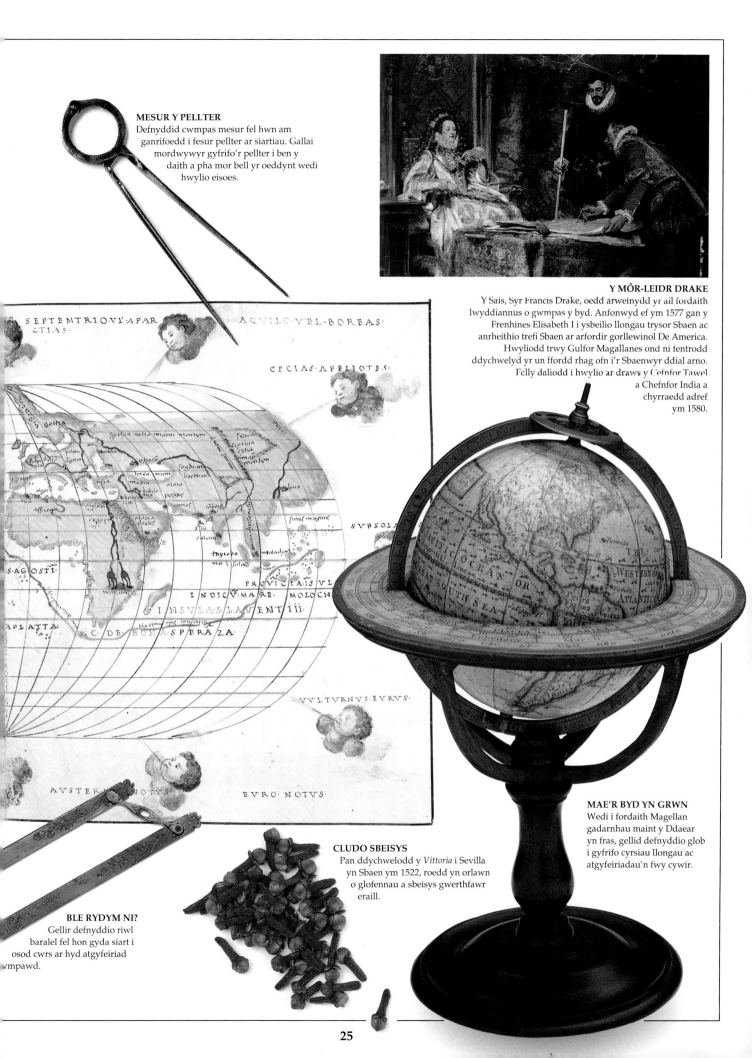

MESUR Y PELLTER
Defnyddid cwmpas mesur fel hwn am ganrifoedd i fesur pellter ar siartiau. Gallai mordwywyr gyfrifo'r pellter i ben y daith a pha mor bell yr oeddynt wedi hwylio eisoes.

Y MÔR-LEIDR DRAKE
Y Sais, Syr Francis Drake, oedd arweinydd yr ail fordaith lwyddiannus o gwmpas y byd. Anfonwyd ef ym 1577 gan y Frenhines Elisabeth I i ysbeilio llongau trysor Sbaen ac anrheithio trefi Sbaen ar arfordir gorllewinol De America. Hwyliodd trwy Gulfor Magallanes ond ni fentrodd ddychwelyd yr un ffordd rhag ofn i'r Sbaenwyr ddial arno. Felly daliodd i hwylio ar draws y Cefnfor Tawel a Chefnfor India a chyrraedd adref ym 1580.

CLUDO SBEISYS
Pan ddychwelodd y *Vittoria* i Sevilla yn Sbaen ym 1522, roedd yn orlawn o glofennau a sbeisys gwerthfawr eraill.

BLE RYDYM NI?
Gellir defnyddio riwl baralel fel hon gyda siart i osod cwrs ar hyd atgyfeiriad cwmpawd.

MAE'R BYD YN GRWN
Wedi i fordaith Magellan gadarnhau maint y Ddaear yn fras, gellid defnyddio glob i gyfrifo cyrsiau llongau ac atgyfeiriadau'n fwy cywir.

Bywyd ar fôr

Morwyr yn y riging

Cyn dyfodiad moethusrwydd y byd modern roedd bywyd ar fwrdd llong yn galed i'r morwyr cyffredin. Yn aml golygai mordeithiau hir eu bod ar y môr am fisoedd a hyd yn oed am flynyddoedd. Doedd dim bwyd ffres i'w gael a gallai dŵr yfed fod yn brin. Roedd clefydau dychrynllyd – yn enwedig y llwg (prinder fitaminau) – yn beth cyffredin, a byddai llawer yn marw ar fwrdd llong. Cynhwysai gwaith y morwyr ddringo i fyny'r mastiau uchel i drin yr hwyliau (yn aml ar dywydd dychrynllyd), cymryd eu tro ar wyliadwriaeth, a golchi'r deciau brwnt yn rheolaidd. Byddent yn treulio unrhyw amser sbâr a fyddai ganddynt wrth eu hobïau, neu'n chwarae gêmau, neu'n chwarae triciau ar ei gilydd. Ni newidiodd bywyd ar fwrdd llong lawer rhwng 1500 a 1850. Ond pan ddaeth y llongau ager ac offer mordwyo mwy soffistigedig, roedd bywyd y morwr yn haws.

CIST Y MORWR
Byddai'r morwr yn cadw ei eiddo i gyd mewn cist fôr. Roedd yn rhaid iddi fod yn gryf oherwydd defnyddid hi fel sedd, bwrdd, a hyd yn oed gwely. Mae enw a dyddiad geni ei pherchennog yn ysgrifenedig mewn paent ar y gist hon. Mae'n llawn o'r math o bethau a fyddai ynddi'n wreiddiol.

LLADD AMSER
Byddai llongwyr llongau hela morfilod yn treulio eu hamser sbâr yn ysgythru ar ddannedd morfilod. Weithiau byddent yn rhwbio inc du neu huddygl yn yr ysgythriad i wneud y llun yn gliriach. Yr enw ar y grefft hon yw 'scrimshaw'.

CLUSTLYSAU AUR
Gwisgai'r morwyr glustlysau weithiau. Roedd y pâr aur hwn yn eiddo i forwr o America yn y 19eg ganrif o'r enw Richard Ward.

GWELY'R MÔR
Addasiad yw'r hamog o fath o wely crog a ddarganfuwyd gan Columbus (tt.22–3). A'r môr yn dymhestlog, byddai'r gwely'n siglo yn ôl ac ymlaen heb daflu'r cysgwr allan.

Het morwr

Llechen log y 18fed ganrif

Pensil i'r llechen

Twist o dybaco

Cyllell boced

Bag gwneuthurwr hwyliau

Pren plethu rhaffau

Rwber i wastatáu semau'r hwyliau

Cledr i warchod y llaw

Nodwyddau a chas

ARFAU'R GREFFT
Nid oedd gwaith neb yn fwy hanfodol na gwaith y gwneuthurwr hwyliau. Yn y bag hwn mae'r arfau i drwsio'r hwyliau a'r rhaffau a gwnïo'r cynfas.

Chwibanogl arian o'r 18fed ganrif

Flangell o'r 19eg ganrif

Mae'r goes bren wedi ei chuddio â ffabrig

CHWIBANOGL Y BOSN
Â'r chwibanogl hon y byddai'r gorchmynion yn cael eu rhoi ar fwrdd llong ar y môr. Gellid ei chlywed yn well na'r llais uwch sŵn y gwynt a'r tonnau. Erbyn hyn mae'r uchelseinydd wedi disodli'r chwibanogl ac eithrio ar achlysuron seremonïol.

Llyfr log

Y FFLANGELL
Y gosb a roddid i longwyr fel arfer fyddai eu fflangellu. Gwnaed y fflangell o naw cortyn cnotiog. Clymid y llongwr wrth ffrâm o bren a fflangellu ei gefn. Amrywiai nifer yr ergydion yn ôl y drosedd ond roedd ychydig yn ddigon i dynnu gwaed a pheri poen mawr. Roedd yn ofynnol bod meddyg wrth law i atal y fflangellu pe bai perygl iddo farw.

Bicer a phlât piwter

Bisgeden galed iawn

Fforc ddur â choes asgwrn

Bwyd y Morwr
Roedd yn anodd storio bwyd ar fwrdd llong cyn dyddiau bwyd tun a'r oergell. Roedd ffrwythau a llysiau ffres yn pydru'n gyflym ond roedd yn bosibl halltu cig a'i storio mewn casgenni. Cadwai un math o fisged am flynyddoedd heb bydru, ond yn aml byddai'n llawn o chwilod a chynrhon, a rhaid oedd eu lladd cyn bwyta'r fisgeden.

CROESI'R LEIN
Roedd yn rhaid i forwyr yn croesi'r cyhydedd am y tro cyntaf ymostwng i beryglon seremoni arbennig. Fel arfer golygai hyn foesymgrymu i un o'u cyd-forwyr yng ngwisg y brenin Neifion, yfed rhyw ddiod â blas cas arno, a chael ei daflu yn ei ddillad i faddon yn llawn o ddŵr y môr.

TRYWSUS ATAL DŴR
Byddai llongwyr yn gwneud eu dillad yn aml o ryw ddefnydd sbâr oedd ar y llong. Gwnaed y trywsus hwn o gynfas sbâr a'i drin ag olew i atal dŵr.

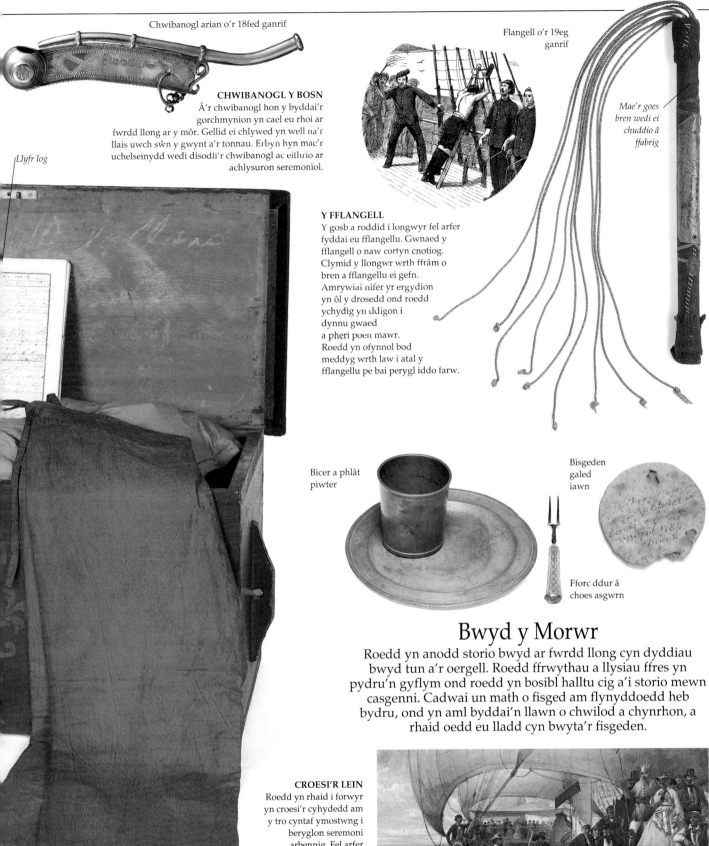

Triciau'r grefft

BYDD MORDWYWYR HEDDIW YN DEFNYDDIO RADAR, radio, a lloerennau i wybod am eu safle diweddaraf ar long. Cyn y dyfeisiau hyn roedd yn rhaid dibynnu ar gyfrifo gofalus â'r dwylo. Byddai'r mordwywyr yn defnyddio cyfarpar a luniwyd i arsylwi'r wybren, ac yn cysylltu'r hyn a welent â siart môr. Yna byddent yn llywio cwrs rhesymol o fyr ond diogel rhwng dau bwynt penodol gan ystyried cyfeiriad y gwynt, cerhyntau a chreigiau. Roedd gwybod hydred llong (ei safle i'r dwyrain neu i'r gorllewin ar wyneb y Ddaear) yn gwbl amhosibl nes i almanaciau a chronomedrau morwrol ddod yn y 1760au. O ran lledred (pellter i'r gogledd neu i'r de o'r cyhydedd) roedd yn rhaid dibynnu ar amcangyfrif o'r cwrs a chyflymder y llong, ac ar arsylwadau o'r sêr a'r planedau.

Darn croes
sbâr

Graddfa

Pren croes

TYNFAEN
Tua 2,000 o flynyddoedd yn ôl darganfu'r Chineaid mai un o nodweddion tynfaen (sydd yn ocsid haearn magnetig naturiol) oedd ei fod yn pwyntio tua'r gogledd. Tuag 800 o flynyddoedd yn ôl darganfu llongwyr Ewropeaidd fod tynnu nodwydd ar draws tynfaen yn magneteiddio'r nodwydd, ac arweiniodd hyn at ddatblygiad y cwmpawd magnetig.

Cribell-
cysgod

Lleolid yr olygfan gefn hon ar amcangyfrifiad o'r lledred. Ychwanegid y darlleniad ar y cribell cysgod at hyn i roi'r gwir ledred.

PREN CEFN
Câi pren cefn ei ddefnyddio i anelu at yr haul a chael y lledred pan fyddai'n rhy danbaid i ddefnyddio pren croes. Safai'r mordwywr â'i gefn at yr haul ac yna byddai'n llinellu'r olygfan gefn â'r hollt-gorwel. Byddai'n symud y cribell-cysgod ar yr arc lai nes i'w gysgod ddisgyn ar yr hollt-gorwel. Byddai adio ongl yr olygfan gefn ac ongl y cribell-cysgod yn rhoi ongl yr haul a thrwy hyn ledred y llong.

Hollt-gorwel

TELESGOP
Dyfeisiwyd y telesgop yn ystod yr un adeg yn yr Eidal, yr Iseldiroedd, a Lloegr yn nechrau'r 17eg ganrif. Gallai'r teithiwr, trwy ddefnyddio telesgop, adnabod tirnod neu bentir o bellter mawr a gwybod ble roedd. Cafodd y telesgop morol uchod ei wneud ym 1661.

PREN CROES

Daeth hwn yn ddyfais boblogaidd ymysg mordwywyr yr 16eg ganrif. Gallent gyfrifo'r ongl rhwng y gorwel a Seren y Gogledd ag ef. Rhoddid un pen i'r pren croes yn erbyn y llygad, yna byddai'r mordwywr yn symud y darn croes ar hyd graddfa ac yn llinellu un pen â'r gorwel a'r pen arall â'r seren. Yna gellid cyfrifo lledred y llong.

Defnyddio astrolab

Darn croes

Drych

Drych

SECSTANT

Dyfeisiwyd y secstant yng nghanol y 18fed ganrif gan y Llynges Brydeinig i gymryd lle'r pren croes a'r pren cefn. Trwy ddefnyddio nifer o ddrychau gall secstant fesur lledred hyd at gywirdeb o 0.01 o un radd. Bydd y mordwywr yn symud y bar-mynegai nes bod y drychau'n ymddangos fel pe baent yn llinellu'r haul â'r gorwel. Trwy ddarllen ongl y bar-mynegai, gellir cyfrifo ongl yr haul (ac felly lledred y llong).

Bar mynegai

Defnyddio secstant

Secstant a ddefnyddiwyd gan Gapten Cook ar ei drydedd fordaith i'r Cefnfor Tawel (tud.34–5)

ASTROLAB MWRAIDD

Datblygwyd yr astrolab gan seryddwyr Arabaidd yn fodel dau ddimensiwn o'r wybren. Ar un ochr (a welir yn y llun bach) gellid symud pwyntydd fel bod pelydryn o'r haul neu seren i'w weld trwy ddau dwll bach ar y rhoden ganol, tra bod pwyntydd yn dangos uchder yr ongl ar raddfa engrafedig.

CWMPAWD *isod*
Er 12fed ganrif ymlaen defnyddiwyd cwmpawdau magnetig gan forwyr ar y môr i ddangos iddynt y cwrs roeddynt yn ei ddilyn ac i ddangos iddynt y cyfeiriad y dylent lywio'r llong. Nodwyddau wedi eu magneteiddio oedd y cwmpawdau cynnar a bwyntiai i'r gogledd pan fyddent yn crogi ar gortyn. Yn ddiweddarach gosodwyd y nodwydd ar gerdyn a'i fantoli ar bifod canolog. Byddai hyn yn caniatáu i'r mordwywyr gymryd darlleniadau gwir o bwyntiau'r cwmpawd.

LLYFR LOG LLONG

Byddai capten pob llong yn cadw llyfr ac yn cofnodi ynddo'n ddyddiol pa mor bell roedd y llong wedi teithio ac i ba gyfeiriad, ac achlysuron megis llongau eraill a welwyd, tirnodau yr aeth heibio iddynt, a salwch ymysg y criw.

1770 yw dyddiad y llyfr log hardd hwn yn cynnwys peintiadau o longau a phentiroedd a welwyd ar y fordaith.

Yr Efengyl ac aur

PAN HWYLIODD COLUMBUS AR DRAWS Cefnfor Iwerydd (tt.22–3), gobeithiai ddarganfod ffordd newydd i China a'r Ynysoedd Sbeis. Yn lle hynny darganfu India'r Gorllewin, ynysoedd lle trigai llwythau cymharol gyntefig. Roedd gan yr 'Indiaid' hyn ychydig o dlysau aur ond dim arall o werth. Ym 1519 anfonodd Sbaen Hernando Cortés i Veracruz, México yn y gobaith o sefydlu trefedigaeth fasnachu ar y tir mawr. Synnwyd Cortés i gwrdd â 'llysgenhadon' mewn gwisgoedd drudfawr a roddodd iddo anrhegion gwerthfawr o aur. Ond nid oedd hyn yn ddigon iddo a phenderfynodd deithio i mewn i'r tir i chwilio am fwy o gyfoeth. Cafodd hyd i hyn pan gyrhaeddodd yr Ymerodraeth Astec rymus, ac ymhen ychydig mwy na dwy flynedd roedd ef a'i filwyr wedi dinistrio'r cyfan. A hyn hefyd fu tynged yr Ymerodraeth Inca ym Mheriw, De America, a orchfygwyd gan Sbaenwr arall, Francisco Pizarro, ym 1532. Dilynwyd y rhain gan lawer o Sbaenwyr eraill yn awchu am aur. Fforiwyd ardaloedd eang gan y 'conquistadores' hyn a sefydlwyd nifer o drefedigaethau Sbaenaidd.

Ffigur aur Astec

Byddai ymladdwyr Astec, trwy gymryd nifer fawr o garcharorion, yn ennill yr hawl i wisgo gwisg rhyw anifail

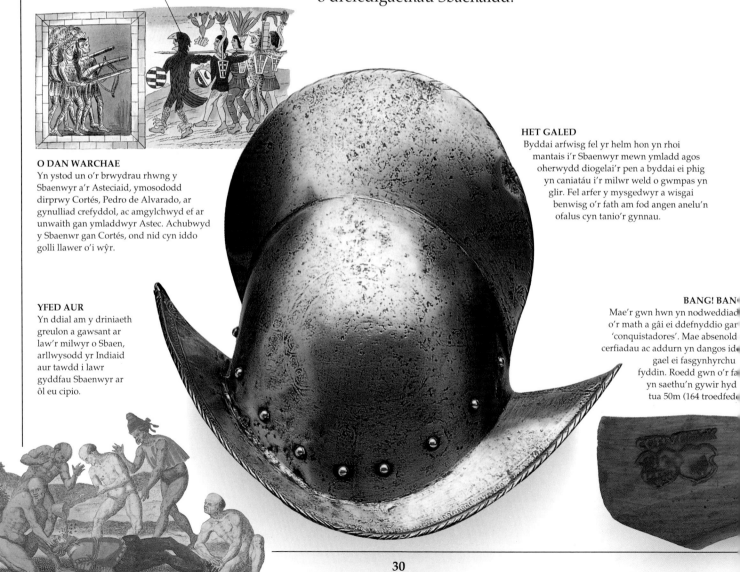

O DAN WARCHAE
Yn ystod un o'r brwydrau rhwng y Sbaenwyr a'r Asteciaid, ymosododd dirprwy Cortés, Pedro de Alvarado, ar gynulliad crefyddol, ac amgylchwyd ef ar unwaith gan ymladdwyr Astec. Achubwyd y Sbaenwr gan Cortés, ond nid cyn iddo golli llawer o'i wŷr.

YFED AUR
Yn ddial am y driniaeth greulon a gawsant ar law'r milwyr o Sbaen, arllwysodd yr Indiaid aur tawdd i lawr gyddfau Sbaenwyr ar ôl eu cipio.

HET GALED
Byddai arfwisg fel yr helm hon yn rhoi mantais i'r Sbaenwyr mewn ymladd agos oherwydd diogelai'r pen a byddai ei phig yn caniatáu i'r milwr weld o gwmpas yn glir. Fel arfer y mysgedwyr a wisgai benwisg o'r fath am fod angen anelu'n ofalus cyn tanio'r gynnau.

BANG! BAN
Mae'r gwn hwn yn nodweddiad o'r math a gâi ei ddefnyddio gan 'conquistadores'. Mae absenold cerfiadau ac addurn yn dangos id gael ei fasgynhyrchu fyddin. Roedd gwn o'r fa yn saethu'n gywir hyd tua 50m (164 troedfed

Y SARFF

Roedd y sarff yn symbol crefyddol grymus ym México a chafodd llawer o addurnweithiau eu gwneud ar lun sarff fel y sarff fosaig o feini gleision uchod. Roedd seirff cerfiedig yn llawer o demlau'r Asteciaid, ac yn un ohonynt roedd y porth ar lun ceg agored sarff. Y gred oedd bod y duwiau'n ffafrio'r rheini a gâi eu brathu gan seirff. Y mwyaf o'r duwiau seirff oedd Quetzalcoatl, y sarff bluog.

Cawg peintiedig Mayaidd â chlawr

Ymladdwyr yn gwisgo gwisgoedd anifail

CAWG WEDI EI BEINTIO

Coedwigoedd glaw Penrhyn Yucatan, México, oedd cadarnle gwareiddiad y Maya. Yno buont yn adeiladu dinasoedd mawr a themlau o garreg. Roeddynt hefyd yn grochenyddion cywrain. Cyrhaeddodd y gwareiddiad datblygedig hwn ei anterth rhwng OC 300 a 900 a goroesodd nes i'r Sbaenwyr ei ddinistrio yn ystod yr 16eg a'r 17eg ganrif.

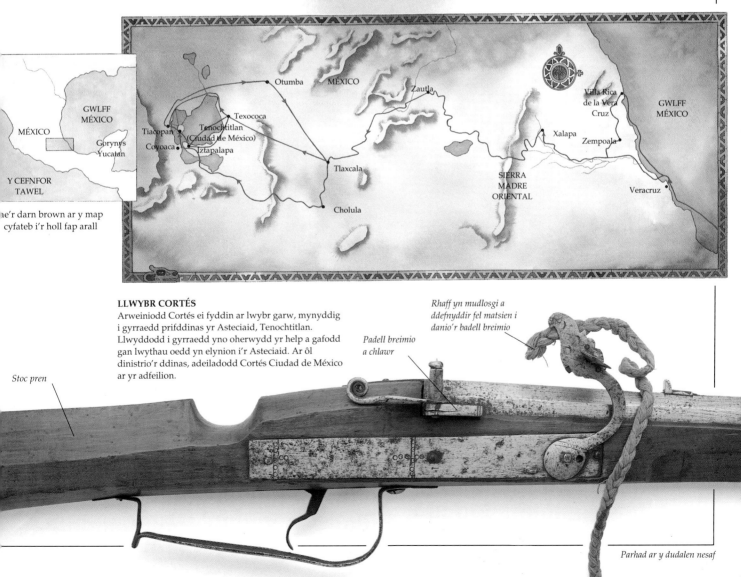

...ae'r darn brown ar y map cyfateb i'r holl fap arall

LLWYBR CORTÉS

Arweiniodd Cortés ei fyddin ar lwybr garw, mynyddig i gyrraedd prifddinas yr Asteciaid, Tenochtitlan. Llwyddodd i gyrraedd yno oherwydd yr help a gafodd gan lwythau oedd yn elynion i'r Asteciaid. Ar ôl dinistrio'r ddinas, adeiladodd Cortés Ciudad de México ar yr adfeilion.

Stoc pren

Padell breimio a chlawr

Rhaff yn mudlosgi a ddefnyddir fel matsien i danio'r badell breimio

Parhad ar y dudalen nesaf

COINAU AUR

Gwledydd cyfoethog iawn mewn aur ac arian oedd México a Pheriw. Trowyd llawer o'r aur a gloddiwyd gan y Sbaenwyr yn Ne America yn goinau aur a anfonwyd yn ôl i Sbaen.

Coinau aur y 18fed ganrif

Llew a chastell, symbolau coron Sbaen

Pileri Hercules, symbol Ymerodraeth Sbaen

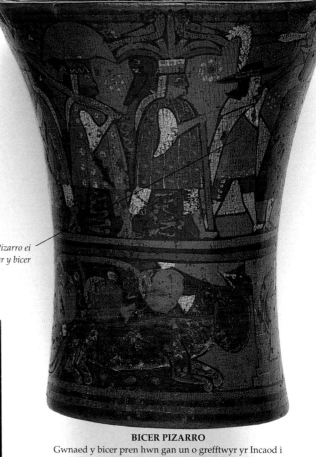

Llun o Pizarro ei hun ar y bicer

BICER PIZARRO

Gwnaed y bicer pren hwn gan un o grefftwyr yr Incaod i Pizarro yng nghanol yr 16eg ganrif. Anfonwyd ef yn ôl i Sbaen ar ôl i Pizarro gael ei ladd gan ei gyd-filwyr mewn cweryl personol ym 1541. Bu Pizarro'n llywodraethu dros yr Ymerodraeth Inca am wyth mlynedd. Gorfododd ef yr Indiaid Inca balch i dderbyn gweinyddiaeth a diwydiant Ewropeaidd.

MARWOLAETH BRENIN

Pan gyfarfu'r brenin Inca mawr Atahualpa â Pizarro gyntaf, fe'i camgymerodd am y duw Inca Viracocha, a bu'n gyfeillgar iawn ag ef. Ond pan wrthododd y brenin y ffydd Gristionogol, cipiwyd ef gan y Sbaenwyr a'i dagu nes oedd yn farw.

Blaguryn quinoa

Grawn quinoa

'GRAWN Y DUWIAU'

Roedd bwyd yr Incaod yn blaen ac yn syml, y prydau'n aml yn cynnwys india corn wedi ei rostio neu ei ferwi, tatws, a'r grawn hwn, quinoa. Câi ei alw hefyd yn 'rawn y duwiau'.

DWEUD NEU DDIODDE!

Ym 1539 glaniodd Hernando de Soto yn Florida a theithiodd i'r gogledd. Ei bwrpas oedd chwilio am aur, fel y gwnâi'r Sbaenwyr yn ddiddiwedd. Methodd ddod o hyd i ddim, a chredodd fod yr Indiaid lleol yn cuddio'r aur rhagddo. Arteithiodd yr Indiaid yn y modd mwyaf erchyll. Gobeithiai y dywedent wrtho ble roedd yr aur.

CREFYDD GREULON
Ymddengys crefydd yr Asteciaid yn greulon iawn i ni. Mynnai nifer o'u duwiau aberth o waed. Câi dynion a gwragedd eu haberthu i'r duw rhyfel Huitzilopochtli trwy dorri allan eu calonnau â chyllell, a hwythau'n dal i guro.

Y CONQUISTADOR OLAF
Ym 1540 roedd sôn am ddinas gyfoethog ymhell yn y gogledd. Felly, trefnwyd alldaith fawr yno dan arweiniad Francisco Coronado. Teithiodd trwy lawer o'r wlad sydd heddiw yn Unol Daleithiau America a chyrraedd Afon Kansas a'r Grand Canyon, ond heb ddarganfod nac aur na dinas.

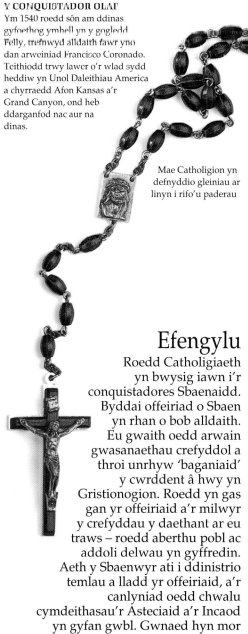

Mae Catholigion yn defnyddio gleiniau ar linyn i rifo'u paderau

Efengylu

Roedd Catholigiaeth yn bwysig iawn i'r conquistadores Sbaenaidd. Byddai offeiriad o Sbaen yn rhan o bob alldaith. Eu gwaith oedd arwain gwasanaethau crefyddol a throi unrhyw 'baganiaid' y cwrddent â hwy yn Gristionogion. Roedd yn gas gan yr offeiriaid a'r milwyr y crefyddau y daethant ar eu traws – roedd aberthu pobl ac addoli delwau yn gyffredin. Aeth y Sbaenwyr ati i ddinistrio temlau a lladd yr offeiriaid, a'r canlyniad oedd chwalu cymdeithasau'r Asteciaid a'r Incaod yn gyfan gwbl. Gwnaed hyn mor drylwyr fel bod Catholigiaeth yn dal yn brif grefydd Canolbarth a De America heddiw.

Môr Mawr y De

Yn ystod diwedd y 18fed ganrif llwyddwyd i ddatrys bron bob un o'r dirgelion am rannau deheuol a chanol y Cefnfor Tawel, sef 'Môr Mawr y De' Hyd hynny doedd neb wedi fforio arfordir dwyreiniol Awstralia a chredai pobl mai un ynys ac nid dwy oedd Seland Newydd. Ond ym 1768 hwyliodd James Cook, mordwywr a gwneuthurwr mapiau ardderchog, o Plymouth, Lloegr (tt.36–7). Y dasg a gafodd gan y Morlys oedd fforio a mapio'r rhan honno o'r byd. Yn ystod y fordaith hon mapiodd arfordiroedd Seland Newydd ac arfordir dwyrain Awstralia. Ar ei fordaith nesaf ym 1772 aeth i'r Antarctig a llawer o'r ynysoedd yn y Cefnfor Tawel. Canlyniad ei drydedd fordaith ym 1776 oedd darganfod Ynysoedd Hawaii a fforio arfordir Alaska.

CAPTEN JAMES COOK
Peintiwyd y llun hwn ohono wedi iddo ddychwelyd o'i ail fordaith. Barn ei wraig am y llun oedd ei fod yn debyg iawn iddo ond bod ei gŵr yn edrych braidd yn ddifrifol.

Cwmpas mesur

Daliwr pen

Cwmpas mesur

Riwl baralel

Sector

ABEL TASMAN
Yn ystod yr 17eg ganrif hwyliodd yr Iseldirwr Abel Tasman o gwmpas arfordir de Awstralia heb ei weld, ond darganfu Seland Newydd a Fiji.

ARFAU MAPIO
Yr arfau 18fed ganrif hyn yw'r math a ddefnyddiai Capten Cook i lunio ei fapiau ardderchog ef o'r Cefnfor Tawel.

TIR ANHYSBYS
Mae'r map hwn a dynnwyd yn yr Iseldiroedd tua 1590 yn dangos tir sydd â'r label 'Terra Australis Nondum Cognita' arno, sy'n golygu 'Tir Deheuol Anhysbys'. Dadleuai gwyddonwyr ar y pryd fod hwn yn ddarn enfawr o dir.

AMSER Y MÔR
Roedd wats a fyddai'n cadw amser yn hanfodol wrth gyfrifo hydred llong. Dyma'r cronomedr a ddefnyddiodd Cook ar ei ail fordaith.

CI NEIDIO
Darganfu Capten Cook a'i longwyr nifer o anifeiliaid nad oedd Ewropeaid yn gwybod dim amdanynt. Roedd y cangarŵ yn ddirgelwch iddynt. Ysgrifennodd Cook, 'Gallwn gredu mai ci gwyllt oedd oni bai am y ffordd y rhedai ac y neidiai fel ysgyfarnog.'

MARWOLAETH COOK
Gofalai Cook bob amser gadw ar delerau da â brodorion y gwledydd gwahanol. Credai pobl Hawaii ar y dechrau ei fod yn dduw, ond pan fu farw un o wŷr Cook, sylweddolwyd mai dim ond dynion oeddynt Lladratawyd cwch oddi ar long Cook ganddynt a phan aeth Cook i'w nôl bu ffrwgwd a lladdwyd ef.

STOF TEITHIWR
Yn y gali y câi bwyd ar fwrdd llong ei goginio, ond â'r set goginio fach hon y coginiai'r naturiaethwr cyfoethog Syr Joseph Banks (tt.50–1) ei fwyd ef. Roedd ar fordaith gyntaf Cook.

TABLEDI SŴP
Cook oedd y capten llong cyntaf i geisio cael gwared o'r llwg. Gwnaed y dabled hon o stoc pwmpen. Wrth roi'r dabled mewn dŵr poeth cafwyd sŵp maethlon, a chredai pobl ar y pryd y byddai'n atal y llwg.

PENTREF YN POLYNESIA
Nagaloa, pentref ar Ynys Fiji. Dyma'r olwg a gâi teithwyr cynnar arno.

GORGET O BLU
Gwisgai'r brenhinoedd a'r penaethiaid yn Polynesia wisgoedd wedi eu haddurno â phlu'r adar lleol. Daeth Cook yn ôl â'r addurn dwyfron hwn a wisgai brenhinoedd Tahiti.

RWYTH–BARA
e ffrwythau gwyn mawr y den ffrwyth-bara sy'n tyfu'n lt yn Polynesia yn dfedu'n gynnar ac wyd da.

ATHRADUR CERFIEDIG
oedd crefftwyr Polynesia yn erfwyr pren medrus. Mae'r athradur ffrwyth-bara hwn n enghraifft o'r pethau ardd a luniwyd ganddynt.

GWIALEN WYBED
Canolbwynt cymdeithas Polynesia oedd y brenhinoedd, y breninesau, a'r pendefigion. Pobl bwysig yn unig oedd â'r hawl i gario gwialen wybed fel hon ac roedd rheolau crefyddol llym a elwid yn 'tabŵs' yn gwahardd pobl gyffredin rhag eu cario.

Yr *Endeavour*

Y LLONG A DDEWISODD COOK i'w fordaith gyntaf ym 1768 (tt.34–5) oedd yr *Endeavour*, llong lo o Northumberland, Lloegr. Adeiladwyd y math hwn o long yn arbennig i gario tua 600 tunnell o lo o ogledd Lloegr i Lundain. Roedd ganddi wasg ddofn, llydan, starn cul, a dim cerflun o bren ar ei phen blaen. Bu Cook yn hwylio mewn llongau cryf fel y rhain pan oedd yn ifanc, ac felly roedd profiad ganddo o'u trafod. Gwyddai y gallai lanio'r *Endeavour* ar draeth, pe bai angen, heb wneud niwed iddi.

Y Criw

Am ei bod yn llong y llynges oedd ar wasanaeth gwyddonol, roedd ei chriw yn un cymysg. Heblaw Cook roedd nifer o swyddogion eraill i helpu mordwyo'r llong a gwneud penderfyniadau. Y llongwyr a wnâi'r gwaith ar y llong ac ar y riging, rhai ohonynt yn seiri coed medrus, eraill yn wneuthurwyr hwyliau, cerddorion, a chrefftwyr o fath arall. Y môr-filwyr, a oedd yn filwyr arfog, oedd yn gofalu am ddisgyblaeth ac yn gwarchod y llong rhag môr-ladron a brodorion anghyfeillgar. Roedd yno hefyd wyddonwyr ac arlunwyr. Eu gwaith hwy oedd gwneud arsylwadau, gwneud arbrofion, a braslunio golygfeydd newydd.

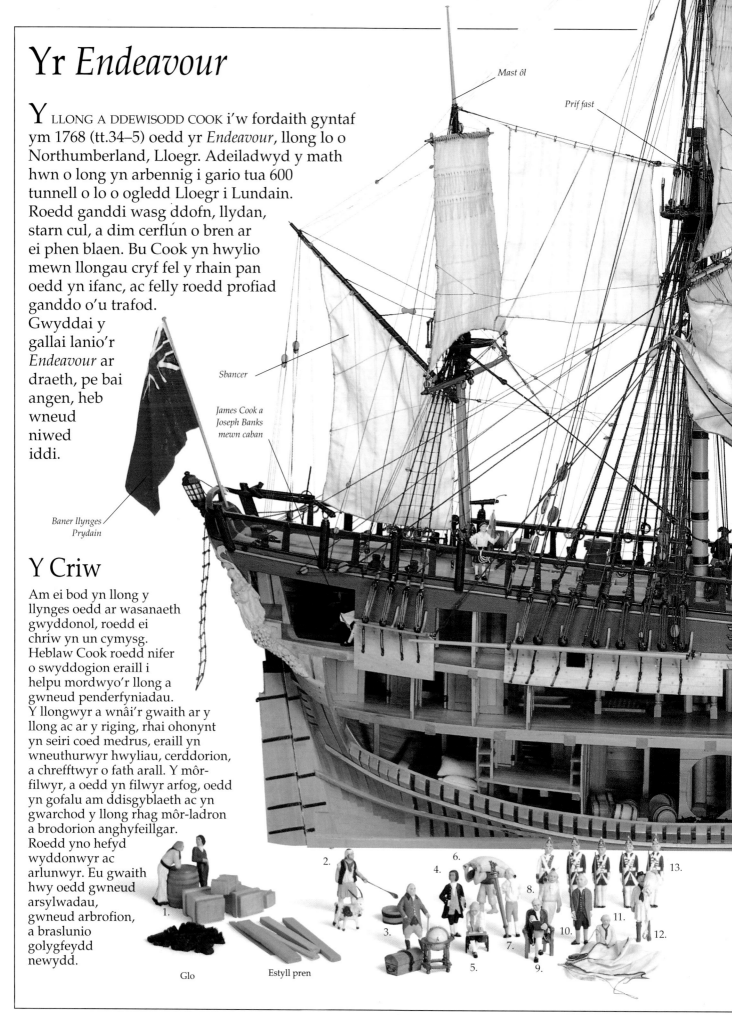

Mast ôl

Prif fast

Sbancer

James Cook a Joseph Banks mewn caban

Baner llynges Prydain

Glo

Estyll pren

1. 2. 3. 4. 5. 6. 7. 8. 9. 10. 11. 12. 13.

Mast blaen

Bowsbryd

MANYLION Y LLONG

Gallai gario cargo trwm a llawer o ddynion.
Roedd ganddi dri mast, y mast blaen a'r prif
fast â hwyliau mawr sgwâr arnynt, a'r mast
ôl a fyddai'n cario sbancer blaen ac ôl
hefyd. Gyda'r rig hwn gallai'r *Endeavour*
hwylio'n dda ym mhob math o dywydd
bron, a dod trwy'r stormydd ffyrnicaf.
Gallai'r howld gario 600 tunnell ac
addaswyd ef yn arbennig i'r fordaith
hon i gario cyflenwadau a chyfarpar
gwyddonol. Wrth i'r fordaith fynd
yn ei blaen câi'r cyflenwadau eu
defnyddio a byddai samplau o
blanhigion ac anifeiliaid
yn cymryd eu lle.

RHAI O AELODAU O GRIW COOK

1. Matthew Cox ac Archibald Wolfe, morwyr; 2. John
Thompson, cogydd; 3. Herman Sporing, naturiaethwr;
4. Sydney Parkinson, arlunydd 5. Alexander Buchan,
arlunydd; 6. Thomas Simmonds, morwr; 7. John
Reynolds, gwas; 8. William Monkhouse, llawfeddyg;
9. Charles Green, serydd; 10. Dr Daniel Solander,
botanegydd; 11. John Ravenhill, gwneuthurwr hwyliau;
12. Antonio Ponto, morwr; 13. Drymiwr a môr-filwyr;
14. Thomas Jordan a James Tunley, gweision; 15. James
Magra a Richard Littleboy, morwyr; 16. John Satterley
a George Novell, saer coed a'i fêt; 17. Thomas Hardman,
mêt y boswn; 18. Thomas Knight, morwr;
19. John Gathrey, boswn; 20. Richard Pickersgill,
mêt y meistr-forwr; 21. Alexander Simpson,
morwr 22. John Goodjohn, morwr;
23. Joseph Childs, morwr;
24. Thomas Mathews,
gwas; 25. John
Woodworth, morwr;
26. Richard Hughes,
morwr

Barilau o
rwm a dŵr

Hwyliau
sbâr

Cistiau'r
morwyr

Hamogau

Ar draws Awstralia

'Y MÔR!'
Ym 1862 arweiniodd John Stuart dîm i'r gogledd o Adelaide i ddarganfod arfordir y gogledd. Yn sydyn trodd un o'r dynion a gweiddi 'y môr!' Roedd pawb yn syn oherwydd credent fod milltiroedd yn dal rhyngddynt a'r môr.

Yr Ewropead cyntaf i lanio yn Awstralia oedd Dirk Hartog o'r Iseldiroedd a laniodd ar arfordir y gorllewin ym 1616. Ond ni chafwyd darlun clir o faint y cyfandir anferth hwn hyd at fordeithiau James Cook (tt.34–5) a Matthew Flinders yn ddiweddarach. Cyrhaeddodd yr ymsefydlwyr cyntaf Fae Botany ym 1788. Cyfyngwyd nhw am lawer o flynyddoedd i'r arfordir gan na ellid dod o hyd i lwybr dros y Mynyddoedd Gleision i'r gorllewin o Sydney. Yna, ym 1813 rhoes John Blaxland, William Lawson, a William Wentworth gynnig ar syniad arall, sef dringo'r mynyddoedd yn lle dilyn y dyffrynnoedd, a darganfuwyd llwybr drosodd i'r tir pori ffrwythlon y tu hwnt. Wedi hyn rhoddodd eraill gynnig ar dreiddio drwy'r canoldir sych a difywyd. Bu nifer ohonynt farw. Bu bron i hyn ddigwydd i Peter Warburton, comisiynydd yr heddlu wedi ymddeol, pan groesodd yr anialdiroedd mawr o gwmpas Alice Springs ym 1873, y dyn cyntaf i wneud hyn.

Y PRIS EITHA...
Ym 1860 cychwynnodd Robert Burke a Jo... Wills o Melbourne i geisio croesi Awstra... Gadawsant gyflenwadau a dynion yn Coope... Creek ac aeth Burke a Wills a dau arall yn... blaenau ar gefn ceffylau. Daethant o hyd i'r m... ond bu Burke a Wills farw ar eu taith yn...

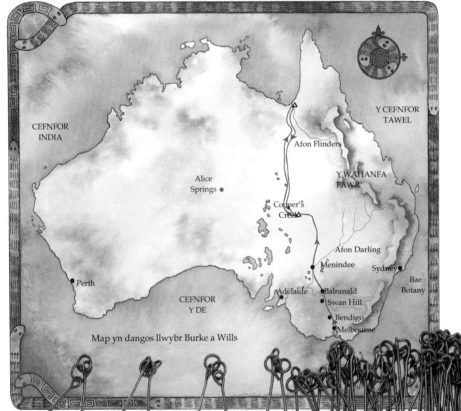

Map yn dangos llwybr Burke a Wills

STURT YN GORFFWYS
Erbyn 1828 roedd ymsefydlwyr cynnar wedi darganfod sa... afon yn rhedeg i mewn i'r tir o'r Wahanfa Fawr. Rhoddwy... dasg i Gapten Charles Sturt i ddarganfod i ble y rhedent. Dilynodd nhw am dros 1,600 km (993 milltir) i'r môr a dod... hyd i dir pori delfrydol. Yn ddiweddarach rhoddodd gynn... ar dreiddio i mewn i'r canoldir ond trechwyd ef gan y tymheredd crasboeth.

Cadwy...
mesur t...

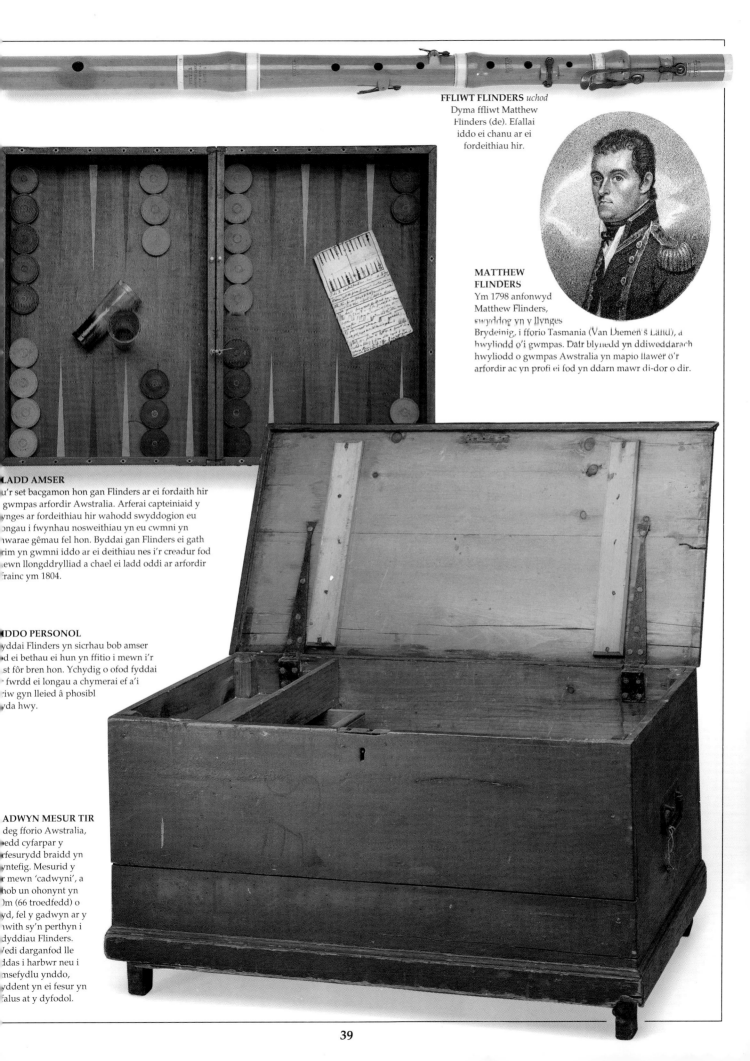

FFLIWT FLINDERS *uchod*
Dyma ffliwt Matthew Flinders (de). Efallai iddo ei chanu ar ei fordeithiau hir.

MATTHEW FLINDERS
Ym 1798 anfonwyd Matthew Flinders, swyddog yn y llynges Brydeinig, i fforio Tasmania (Van Diemen's Land), a hwyliodd o'i gwmpas. Dair blynedd yn ddiweddarach hwyliodd o gwmpas Awstralia yn mapio llawer o'r arfordir ac yn profi ei fod yn ddarn mawr di-dor o dir.

LLADD AMSER
...u'r set bacgamon hon gan Flinders ar ei fordaith hir
...gwmpas arfordir Awstralia. Arferai capteiniaid y
...ynges ar fordeithiau hir wahodd swyddogion eu
...ongau i fwynhau nosweithiau yn eu cwmni yn
...hwarae gêmau fel hon. Byddai gan Flinders ei gath
...rim yn gwmni iddo ar ei deithiau nes i'r creadur fod
...ewn llongddrylliad a chael ei ladd oddi ar arfordir
...rainc ym 1804.

RHODDO PERSONOL
...yddai Flinders yn sicrhau bob amser
...d ei bethau ei hun yn ffitio i mewn i'r
...st fôr bren hon. Ychydig o ofod fyddai
...r fwrdd ei longau a chymerai ef a'i
...riw gyn lleied â phosibl
...yda hwy.

CADWYN MESUR TIR
... deg fforio Awstralia,
...edd cyfarpar y
...rfesurydd braidd yn
...yntefig. Mesurid y
...r mewn 'cadwyni', a
...hob un ohonynt yn
...0m (66 troedfedd) o
...yd, fel y gadwyn ar y
...nwith sy'n perthyn i
...dyddiau Flinders.
...Vedi darganfod lle
...ddas i harbwr neu i
...nsefydlu ynddo,
...yddent yn ei fesur yn
...falus at y dyfodol.

Tramwyfa'r Gogledd-Orllewin

UN O FREUDDWYDION MWYAF fforwyr y moroedd oedd darganfod Tramwyfa'r Gogledd-Orllewin, y llwybr o Ewrop i China o amgylch gogledd America (tt.62–3). Yn ystod yr 16eg ganrif roedd llongau rhyfel Sbaen a Phortiwgal yn atal llongau rhag defnyddio'r llwybrau mwyaf amlwg i China o amgylch America ac Affrica (tt.20–1, 24–5). Fforiodd nifer o forwyr ddyfroedd rhewllyd, digroeso'r gogledd ond trechwyd hwy i gyd gan y gwyntoedd gerwin eithafol. Rhoddwyd y gorau i'r cwest am dipyn nes i lywodraeth Prydain ym 1817 gynnig gwobr o £20,000 i'r neb a lwyddai. Bu nifer o alldeithiau wedi hyn, a'r mwyaf trist ohonynt oedd mordaith Syr John Franklin ym 1845. Ni ddychwelodd neb ohoni. Yna, ym 1906, daeth llwyddiant pan hwyliodd Roald Amundsen (tt.54–5) o Norwy drwy Dramwyfa'r Gogledd-Orllewin mewn llong ager ar ôl mordaith dair blynedd.

MÔR YN RHEWI
Ar drydydd cais Willem Barents o'r Iseldiroedd i ddod o hyd i lwybr gogleddol i China (1595–1597), gwthiwyd ei long allan o'r môr gan yr iâ. Bu ei griw fyw drwy'r gaeaf ond bu farw Barents ar y daith adref.

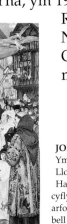

JOHN CABOT
Ym 1497 aeth John Cabot o Fryste, Lloegr ar fordaith ar orchymyn Harri VII i chwilio am lwybr cyflym i'r Ynysoedd Sbeis ger arfordir China. Cyrhaeddodd mor bell â Newfoundland (tt.62–3), tir oedd wedi ei ddarganfod eisoes gan y Llychlynwyr (tt.12–13).

GIOVANNI DA VERRAZANO
Ym 1524 darganfu'r mordwywr hwn o'r Eidal Fae Efrog Newydd a Bae Narragansett i'r Ffrancwyr. Yma, mae ei long wrth angor gerllaw Newport, America.

Mae dolen y gyllell wedi'i wneud o ddau ddarn o asgwrn wedi'u rhybedu i ochr allanol y llafn

Rhwymwyd y carn asgwrn ar y gyllell â charrai a gwt

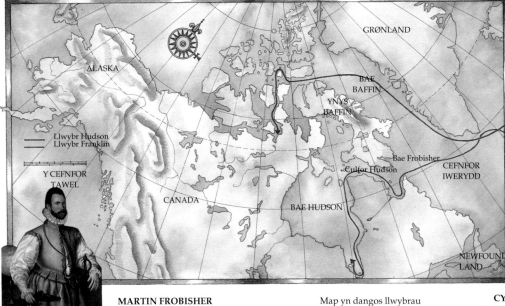

MARTIN FROBISHER
Ym 1576 anfonwyd Frobisher gan y Frenhines Elisabeth I o Loegr i chwilio am Dramwyfa'r Gogledd-Orllewin i China. Methodd ond darganfu Ynys Baffin a rhoddwyd ei enw ef ar fae ar yr ynys hon. Dychwelodd adref a chanddo garreg ag ynddi aur, yn ei dyb ef, ond haearn pyrites ydoedd, neu 'aur y ffŵl'.

Map yn dangos llwybrau Hudson a Franklin

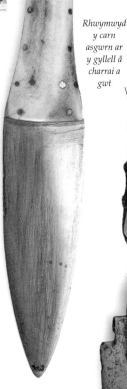

CYLLYLL ASGWRN YR INUIT
Daeth un o'r cwmnïau a anfonwyd i chwilio am Franklin ar draws y cyllyll Inuit (Esgimo) hyn sy'n dystiolaeth o dynged drist ei alldaith ef. Gwnaeth yr Inuit lleol y cyllyll o ddarnau o ddur o'r llongau roedd Franklin wedi eu gadael. Rhoddwyd min i'r dur a'i gysylltu wrth garnau o asgwrn.

Pen haearn Asgwrn Coes bren

Pen copor

Pen haearn

WA A SAETH

welwyd helwyr Inuit yn
efnyddio'r arfau uchod
deng mlynedd wedi marw
ranklin. Cafodd pennau'r
ethau eu gwneud o'r
yflenwadau a gafodd cu
adael ar ôl gan alldaith
ranklin.

Inuit mewn canŵ

HENRY HUDSON

Cyflogwyd ef gan
Gwmni India'r Dwyrain
yr Iseldiroedd i chwilio am
Dramwyfa'r Gogledd-Orllewin. Ar
ei fordaith gyntaf ym 1609 darganfu
Afon Hudson. Ym 1610 darganfu
Gulfor Hudson a Bae Hudson. Ym
Mehefin 1611 gwrthryfelodd ei griw
a rhoddwyd Hudson ac wyth arall
mewn bad. Chlywodd neb
amdanynt wedi hyn.

SBECTOL EIRA

Mae haul yr Arctig wrth
ddisgleirio ar eira'n dallu.
Roedd y sbectol ledr
hon oedd yn eiddo
i Syr John
Franklin,
yn torri'r
tanbeidrwydd.

WYD GOURMET

afwyd y tun hwn o gig eidion rhost ym 1958
n agos at safle olaf alldaith Franklin rydym
'n gwybod amdano. Mae'r tun bron yn sicr o
d yn rhan o gyflenwadau'r alldaith hon.
eliwyd tuniau o'r fath â phlwm a chredir i hyn
chosi rhai problemau iechyd. Ar daith
ynharach i'r Arctig bu pethau gynddrwg fel
od rhaid i Franklin a'i griw fwyta 'darnau o
roen anifail a chen, a chyrn ac esgyrn carw
arw wedi eu ffrio ynghyd â hen esgidiau'!

NEGES OLAF

Ym 1859 daeth ateb i'r dirgelwch pedair
blynedd ar ddeg oed ynghylch tynged
Franklin. Darganfu Capten McClintock y
neges hon wrth chwilio am hanes yr
alldaith ar gais y Foneddiges Franklin.
Ysgrifennwyd y neges yn Ebrill 1848 gan
Lifftenant Gore, aelod o'r alldaith. Mae'n
cofnodi marwolaeth Franklin ac yn rhoi
manylion am y cynllun i gerdded dros y
tir i ddiogelwch. Ni chwblhaodd neb y
daith honno.

error, un o longau
ranklin, yn sownd
n yr iâ

SOWND YN YR IÂ

Roedd hwylio moroedd y gogledd yn
beryglus. Âi llongau'n sownd yn yr
iâ'n aml. Dyna fu tynged dwy o
longau Franklin, yr *Erebus* a'r
Terror.

Dofi Gogledd America

Tra oedd y Sbaenwyr yn fforio Canolbarth a De America yn chwilio am aur (tt.30–3), ychydig a wyddai neb am Ogledd America. Bu'n rhaid aros tan ddiwedd yr 16eg ganrif a dechrau'r 17eg ganrif cyn i fordwywyr fel Henry Hudson (tt.40–1), Jacques Cartier, a Samuel de Champlain fapio'r arfordir dwyreiniol. Yn eu sgil daeth ymsefydlwyr o Loegr a Ffrainc a sefydlu trefi ar hyd yr arfordir dwyreiniol a glannau Afon St Lawrence. O'r trefi hyn yr aeth yr helwyr a gwŷr y ffin i mewn i'r wlad. Ym 1803 gwerthwyd Louisiana gan Napoleon Bonaparte, ymherodr Ffrainc, i'r Unol Daleithiau am $15,000,000 yn unig. Flwyddyn yn ddiweddarach anfonwyd Meriwether Lewis a William Clark gan yr Arlywydd Thomas Jefferson i fforio a mapio'r tir hwn. Bu alldeithiau eraill ac yn raddol tirfesurwyd a mapiwyd canolbarth anferth yr Unol Daleithiau.

SAETHA A GYNNA

Wrth i Samuel de Champlain fforio gwmpas Afon St Lawrence ym 160 daeth yn gyfeillgar â'r llwyth Indiaid Huron lleol. Ymunodd de Champlain nhw mewn brwydr yn erbyn llwyth y Iroquois. Trechwyd yr Iroquois ga ynnau de Champlain ac enillodd llwyt yr Huron y frwyd

TEITHIO'N YSGAFN

Hyd ganol y 18fed ganrif yr unig ffordd i mewn i ganoldir Gogledd America oedd ar yr afonydd. Teithiai'r fforwyr cynnar mewn canŵod o risgl bedw wedi ei dynnu'n dynn dros ffrâm bren. Roeddynt yn ysgafn a hawdd eu trin.

JACQUES CARTIER

Arweiniodd y mordwywr Ffrengig hwn bedair alldaith i arfordir dwyreiniol Gogledd America i geisio darganfod Tramwyfa'r Gogledd-Orllewin. Ei ddarganfyddiad mwyaf oedd Afon St Lawrence ym 1534. Ym 1536 aeth i fyny'r afon mor bell â Montréal yng Nghanada. Ni allai fynd ymhellach oherwydd y dŵr garw.

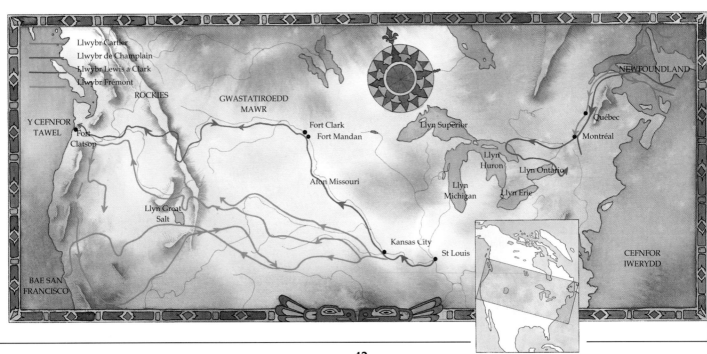

Llwybr Cartier
Llwybr de Champlain
Llwybr Lewis a Clark
Llwybr Frémont

ROCKIES

GWASTATIROEDD MAWR

NEWFOUNDLAND

Y CEFNFOR TAWEL

Fort Clatsop

Fort Clark
Fort Mandan

Llyn Superior

Québec

Montréal

Llyn Huron

Llyn Ontario

Afon Missouri

Llyn Michigan

Llyn Erie

Llyn Great Salt

Kansas City

St Louis

CEFNFOR IWERYDD

BAE SAN FRANCISCO

Roedd y tocyn hwn yn werth un croen afanc

Roedd galw mawr am ffwr yr afanc a'r helwyr yn niferus

ARIAN MASNACHU
Roedd gan Gwmni Masnachu Bae Hudson ei arian ei hun – gellid newid arian papur fel hwn am goinau Seisnig ym mhencadlys y cwmni yn Llundain. Câi helwyr ac Indiaid eu talu mewn tocynnau pres am grwyn yr afanc. Gallent eu cyfnewid am fwyd a chyflenwadau gan y cwmni.

LLWYBRAU'R AFONYDD
Sefydlwyd llwybrau i'r canolbarth ar hyd Afon Mississippi gan y masnachwyr Ffrengig wrth chwilio am grwyn gan y llwythau o Indiaid lleol. Weithiau byddent yn mynd â'u hanifeiliaid anwes gyda hwy!

Llafn â phwynt ac ymyl miniog hir

CYLLELL BOWIE
Roedd cyllell hela gref yn hanfodol i bob ymsefydlwr a gŵr y llun. Un o'r goreuon oedd y gyllell Bowie a enwyd ar ôl yr arloeswr Americanaidd Jim Bowie. Gallai'r gyllell glwyfo'n angheuol ac roedd yn ddigon cryf i'r gwaith caled o hela a blingo.

Indiad o goedwigoedd y dwyrain oedd biau'r copa hwn.

Canŵod fel hwn o risgl bedw a ddefnyddiai'r llwyth o Indiaid Beothuk yn Newfoundland. Mae'r llwyth wedi darfod erbyn hyn.

HAWLIO'R MISSISSIPPI
Yn Ebrill 1682 safodd y masnachwr a'r fforiwr Ffrengig, Robert Cavelier, Sieur de la Salle, wrth aber Afon Mississippi anferth a'i hawlio i Ffrainc. Hawliodd hefyd y wlad oddi amgylch a'i henwi'n Louisiana er anrhydedd i'r Brenin Louis XIV.

TORRI GWALLT!
Roedd llwythau'r Indiaid y cyfarfu'r fforwyr â nhw yng Ngogledd America bron bob amser yn rhyfela â'i gilydd. Un o'r gwobrau rhyfel pwysicaf yn eu golwg oedd copa gelyn a laddwyd mewn brwydr. Byddai'r enillydd yn torri i ffwrdd y croen a'r gwallt o ben ei elyn ac weithiau'n ei osod ar ffrâm o bren.

43

Parhad ar y dudalen nesaf

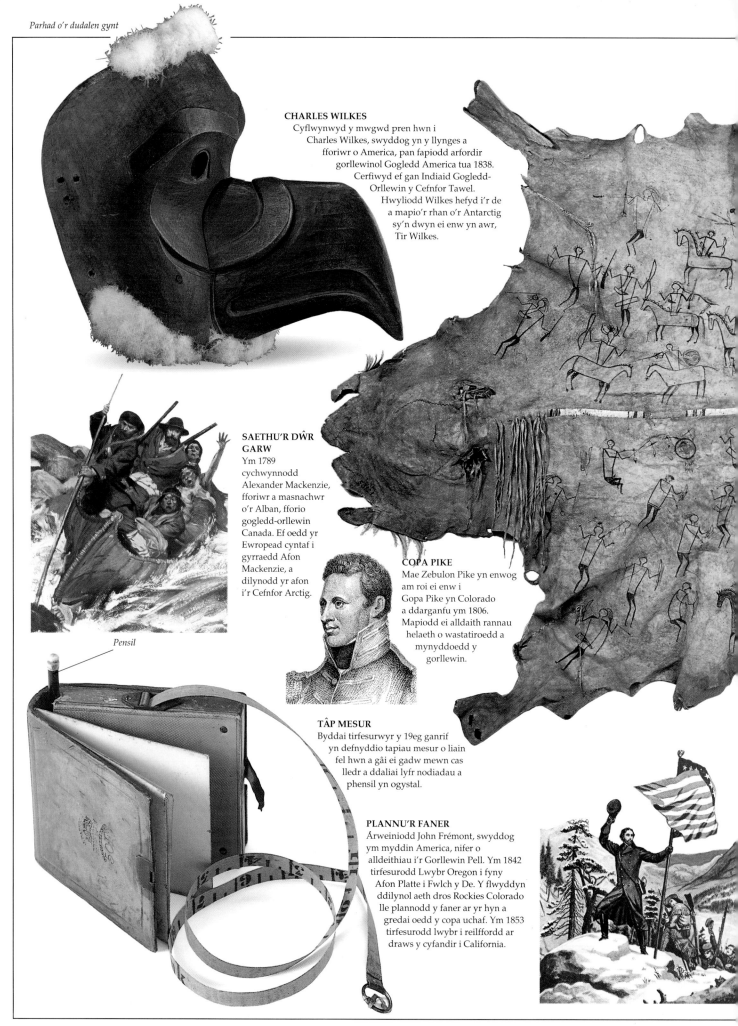

CHARLES WILKES
Cyflwynwyd y mwgwd pren hwn i Charles Wilkes, swyddog yn y llynges a fforiwr o America, pan fapiodd arfordir gorllewinol Gogledd America tua 1838. Cerfiwyd ef gan Indiaid Gogledd-Orllewin y Cefnfor Tawel. Hwyliodd Wilkes hefyd i'r de a mapio'r rhan o'r Antarctig sy'n dwyn ei enw yn awr, Tir Wilkes.

SAETHU'R DŴR GARW
Ym 1789 cychwynnodd Alexander Mackenzie, fforiwr a masnachwr o'r Alban, fforio gogledd-orllewin Canada. Ef oedd yr Ewropead cyntaf i gyrraedd Afon Mackenzie, a dilynodd yr afon i'r Cefnfor Arctig.

Pensil

COPA PIKE
Mae Zebulon Pike yn enwog am roi ei enw i Gopa Pike yn Colorado a ddarganfu ym 1806. Mapiodd ei alldaith rannau helaeth o wastatiroedd a mynyddoedd y gorllewin.

TÂP MESUR
Byddai tirfesurwyr y 19eg ganrif yn defnyddio tapiau mesur o liain fel hwn a gâi ei gadw mewn cas lledr a ddaliai lyfr nodiadau a phensil yn ogystal.

PLANNU'R FANER
Árweiniodd John Frémont, swyddog ym myddin America, nifer o alldeithiau i'r Gorllewin Pell. Ym 1842 tirfesurodd Lwybr Oregon i fyny Afon Platte i Fwlch y De. Y flwyddyn ddilynol aeth dros Rockies Colorado lle plannodd y faner ar yr hyn a gredai oedd y copa uchaf. Ym 1853 tirfesurodd lwybr i reilffordd ar draws y cyfandir i California.

DYDDIADUR MANWL
Cadwodd Lewis a Clark nodiadau gofalus o bopeth a welsant yn y dyddiadur uchod. Mae'n cynnwys manylion daearyddol o fynyddoedd ac afonydd, yn ogystal â gwybodaeth am y llwythau o Indiaid lleol a'r bywyd gwyllt.

Cwmpawd Clark

WILLIAM CLARK
Roedd yn 33 blwydd oed pan fu'n gyd-arweinydd yr alldaith Americanaidd gyntaf i fforio'r tir rhwng Afon Mississippi a'r Cefnfor Tawel. Ef oedd yn gyfrifol am fapio'r tir a chadw disgyblaeth.

LUN AR GROEN
...aeth y dilledyn croen ...ffalo hwn yn eiddo i Meriwether ...ewis a William Clark ar eu taith ar draws ...merica i'r Cefnfor Tawel ar hyd afonydd ...issouri a Columbia ym 1804–1806. Mae'r ...un yn olygfa o Indiaid Mandan a Minnetaree ...ymladd yr Indiaid Sioux ac Arikara.

MERIWETHER LEWIS
Roedd Lewis fel Clark yn filwr ond yn uwch ei safle yn y fyddin er ei fod yn iau. Ef a drefnodd yr alldaith a chasglu'r dynion i fynd arni.

LLE CRWYDRAI'R BYFFALO
Synnwyd fforwyr cynnar Gogledd America wrth weld miliynau o fyffalo'n crwydro'r gwastadeddau. Byddent weithiau'n ymestyn o un pen y gorwel i'r llall. Peintiwyd y llun hwn gan naturiaethwr mawr y 19eg ganrif, John Audubon.

Y Cyfandir Tywyll

DYMA SUT Y CYFEIRIWYD at Affrica am ganrifoedd lawer. Wrth i fordwywyr fapio'r cefnforoedd ac wrth i fforwyr deithio ar draws y cyfandiroedd eraill, arhosodd canolbarth Affrica yn wag ar fapiau'r byd – hyn i raddau helaeth am ei fod yn lle mor beryglus. Roedd clefydau trofannol yno a allai ladd Ewropead mewn diwrnod, ac roedd y coedwigoedd yn llawn o lewod, crocodeilod, a llwythau o Affricanwyr a allai fod yn ymosodol a rhyfelgar a hwythau'n cael eu bygwth gan fewnfudiad o bobl ddieithr. Newidiodd pethau'n raddol ar ôl 1850. Darganfuwyd meddyginiaethau i wella'r clefydau peryclaf a gallai'r gynnau modern ladd anifeiliaid a dychryn llwythau rhyfelgar. Dilynodd rhai fforwyr afonydd trofannol canolbarth Affrica a chyrraedd y llynnoedd mawr, ac yn arbennig tarddiad Afon Nîl. Cerddodd eraill ar draws gwastadeddau De Affrica neu fforio'n ddwfn i'r jyngl yn genhadon.

'DR LIVINGSTONE, I PRESUME
Dyma gyfarchiad Henry Stanley, newyddiadurwr o America, pa[n] gyfarfu â David Livingstone y[n] mhentref diarffordd Ujiji wrth Ly[n] Tanganyika ym mis Tachwed[d] 1871. Roedd Livingstone we[di] diflannu er 1866. Roedd y[n] croesi Affrica fel cenhadw[r] ac i gael gwared ar fasnac[h] gaethion yr Arabia[id] (tt.18–19)

JOHN HANNING SPEKE
Sais a fforiwr oedd Speke a aeth ar nifer o deithiau i ganolbarth Affrica. Ym 1858 teithiodd gyda Burton o Lyn Tanganyika, cyn mynd yn ei flaen ar ei ben ei hun i ddarganfod Llyn Victoria. Ym 1862 dychwelodd i Affrica a phrofi fod Afon Nîl yn llifo o Lyn Victoria.

BYWYD GWYLLT AFFRICA
Roedd Speke hefyd yn naturiaethwr da. Byddai'n gwneud nodiadau a lluniau o'r bywyd gwyllt a'r planhigion ble bynnag yr âi. Dyma'i luniau o'r rhinoseros.

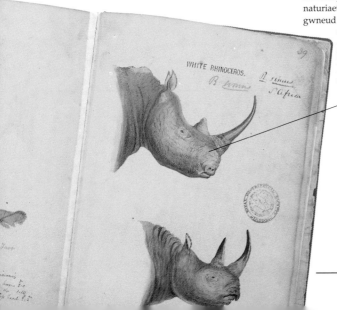

WHITE RHINOCEROS.

Mae perygl i bob rhinoseros gwyn gael ei ladd

HET SYNHWYROL
Dyma'r het a wisgai Stanley pan gyfarfu â Dr Livingstone. Gwisgai llawer o'r teithwyr cynnar yn Affrica y math hwn o het i'w cadw rhag yr haul.

GWISG BWRPASOL
Roedd Syr Richard Burton yn Sais ac yn swyddog yn y fyddin. Dysgodd siarad Arabeg a 28 iaith arall. Yn ei wisg Arabaidd teithiodd trwy dde Asia a dwyrain Affrica lle na fu Ewropead o'r blaen. Fforiodd lawer o Affrica drofannol hefyd a rhannau o Dde America.

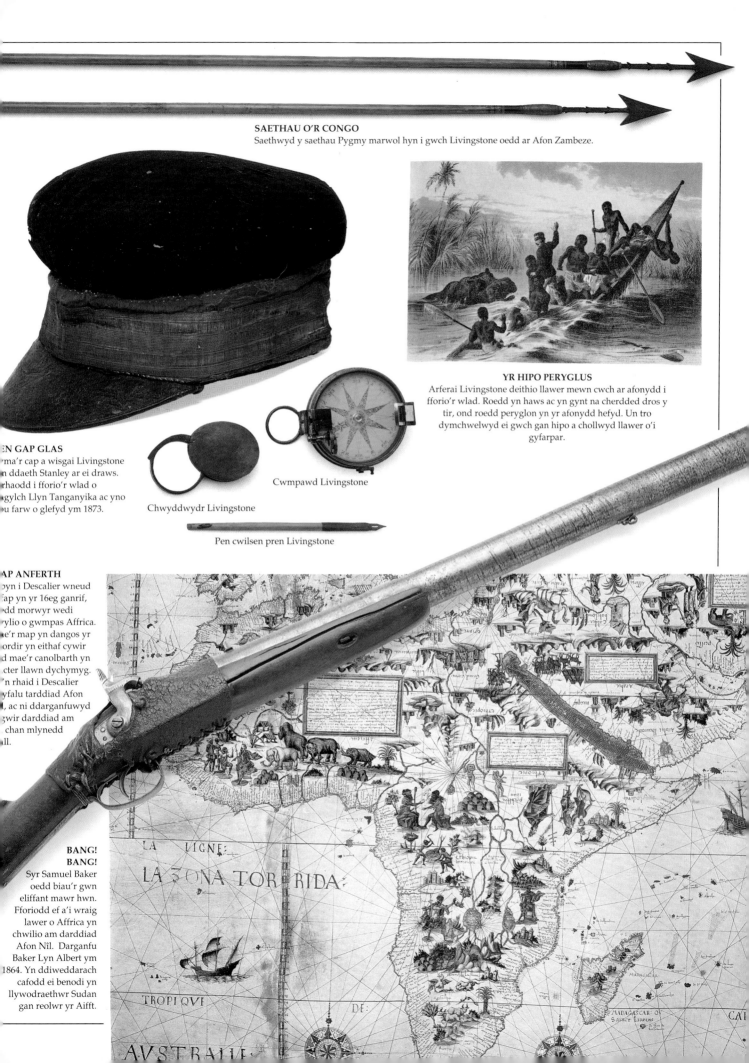

SAETHAU O'R CONGO
Saethwyd y saethau Pygmy marwol hyn i gwch Livingstone oedd ar Afon Zambeze.

YR HIPO PERYGLUS
Arferai Livingstone deithio llawer mewn cwch ar afonydd i fforio'r wlad. Roedd yn haws ac yn gynt na cherdded dros y tir, ond roedd peryglon yn yr afonydd hefyd. Un tro dymchwelwyd ei gwch gan hipo a chollwyd llawer o'i gyfarpar.

EN GAP GLAS
...ma'r cap a wisgai Livingstone ...n ddaeth Stanley ar ei draws. ...rhaodd i fforio'r wlad o ...gylch Llyn Tanganyika ac yno ...u farw o glefyd ym 1873.

Chwyddwydr Livingstone

Cwmpawd Livingstone

Pen cwilsen pren Livingstone

AP ANFERTH
...yn i Descalier wneud ...ap yn yr 16eg ganrif, ...dd morwyr wedi ...ylio o gwmpas Affrica. ...e'r map yn dangos yr ...ordir yn eithaf cywir ...d mae'r canolbarth yn ...cter llawn dychymyg. ...n rhaid i Descalier ...yfalu tarddiad Afon ..., ac ni ddarganfuwyd ...gwir darddiad am ...chan mlynedd ...ll.

BANG! BANG!
Syr Samuel Baker oedd biau'r gwn eliffant mawr hwn. Fforiodd ef a'i wraig lawer o Affrica yn chwilio am darddiad Afon Nîl. Darganfu Baker Lyn Albert ym 1864. Yn ddiweddarach cafodd ei benodi yn llywodraethwr Sudan gan reolwr yr Aifft.

Fforwyr-naturiaethwyr

E r mai antur neu elw oedd y rhesymau dros lawer o'r teithiau fforio, daeth gwybodaeth wyddonol yn gymhelliad cryf yn niwedd y 18fed ganrif ac yn y 19eg ganrif. Dyma'r adeg pryd y treiddiodd llawer o naturiaethwyr i diroedd anhysbys â'r pwrpas penodol o ddarganfod rhywogaethau newydd o anifeiliaid, pryfed a phlanhigion. Roedd fforwyr cynharach wedi sôn am y bywyd gwyllt rhyfedd a welsant ond nid cyn diwedd y 18fed ganrif y dechreuodd naturiaethwyr fforio'n unig swydd i gasglu gwybodaeth wyddonol. Heblaw ychwanegu'n fawr at ein gwybodaeth o'r byd, gallai hyn hefyd ddod ag enwogrwydd i'r rhai fu'n ddigon ffodus i ddarganfod rhywogaethau newydd.

Ffordd anarferol o gasglu pryfed!

HENRY BATES
Ef oedd un o'r fforwyr-naturiaethwyr amatur mwyaf. Astudiodd hanes natur am nifer o flynyddoedd cyn mynd gydag Alfred Wallace (isod de) i goedwigoedd glaw Afon Amazonas ym 1848. Treuliodd 11 o flynyddoedd yn chwilio am bryfed mewn mannau na fu Ewropeaid ynddynt erioed.

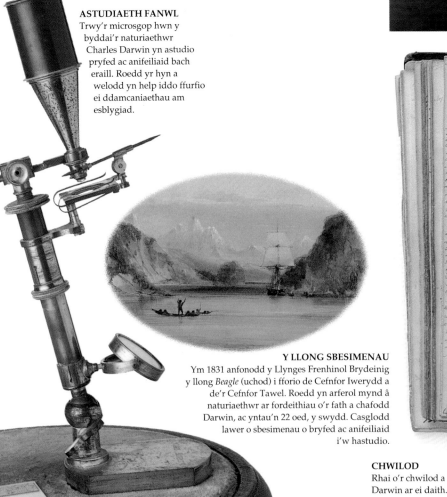

ASTUDIAETH FANWL
Trwy'r microsgop hwn y byddai'r naturiaethwr Charles Darwin yn astudio pryfed ac anifeiliaid bach eraill. Roedd yr hyn a welodd yn help iddo ffurfio ei ddamcaniaethau am esblygiad.

Y LLONG SBESIMENAU
Ym 1831 anfonodd y Llynges Frenhinol Brydeinig y llong *Beagle* (uchod) i fforio de Cefnfor Iwerydd a de'r Cefnfor Tawel. Roedd yn arferol mynd â naturiaethwr ar fordeithiau o'r fath a chafodd Darwin, ac yntau'n 22 oed, y swydd. Casglodd lawer o sbesimenau o bryfed ac anifeiliaid i'w hastudio.

CHWILOD
Rhai o'r chwilod a gasglwyd gan Darwin ar ei daith.

Potel
glorofform
bres

Pinnau â
choesau ifori

GLOYNNOD BYW BANKS
Roedd Joseph Banks yn naturiaethwr cyfoethog. Ym 1768 hwyliodd gyda Chapten Cook (tt.34–5). Roedd Cook dan orchymyn i fforio'r Cefnfor Tawel ac aeth Banks i astudio'r planhigion a'r anifeiliaid. Roedd y gloynnod byw hyn yn rhan o'r casgliad mawr o bryfed a gasglodd yn Awstralia.

POTEL A PHINNAU
Defnyddiai naturiaethwyr glorofform i ladd sbesimenau'n gyflym ac yn ddi boen cyn eu pinio i'w hastudio'n fanwl.

RHWYDI CYSURUS
Â rhwydi tenau fel hon y byddai naturiaethwyr yn dal pryfed. Maent mor ysgafn fel nad ydynt yn niweidio'r adenydd a'r coesau.

MARY KINGSLEY
Yn ystod y 19eg ganrif yn Lloegr, aros gartref fyddai'r rhan fwyaf o'r gwragedd parchus, ar wahân i Mary Kingsley. Gadawodd hi ei chartref a mynd i fforio Gorllewin Affrica i chwilio am anifeiliaid newydd. Roedd dynion ei dydd yn parchu ei phenderfyniad ac yn meddwl yn uchel am ei gwaith.

PYSGOD
Erbyn adeg Mary Kingsley roedd yn rhaid dod â sbesimenau adref i brofi bodolaeth rhywogaeth newydd. Roedd ganddi ddiddordeb mawr mewn pysgod. Cadwodd y pysgodyn ffroen hwn rhag llygru trwy ei roi mewn gwirod a dod ag ef yn ôl i Brydain o Afon Ogowe yn Affrica.

JUDALENNAU PERFFAITH
Cadwodd Henry Bates gofnodion manwl o'r holl rywogaethau o bryfed a ddarganfu. Mae dalennau ei lyfrau nodiadau (mae dwy ohonynt i'w gweld yma) yn llawn o luniau lliw hardd a disgrifiadau manwl. Yn ystod ei flynyddoedd yn Ne America, darganfu fwy nag 8,000 o rywogaethau pryfed newydd, 600 ohonynt yn loynnod byw.

ALFRED WALLACE
Teithiodd Wallace yn bell i ddarganfod rhywogaethau newydd i geisio profi gwirionedd damcaniaethau ei gyfaill Charles Darwin. Ym 1848 teithiodd i Dde America gyda Henry Bates. Bu yno am bedair blynedd. Ym 1854 aeth i Indonesia a bu yno am wyth mlynedd yn casglu rhywogaethau newydd o bryfed ac yn fforio dyffrynnoedd yng nghanol y wlad. Ganwyd ef ym Mrynbuga, Gwent.

Parhad ar y dudalen nesaf

Casglwyr planhigion

Mae chwilio am rywogaethau newydd o blanhigion yn cyfuno nifer o brif obeithion y fforiwr. Trwy deithio i ardaloedd anhysbys yn y gobaith o ddarganfod planhigion newydd mae'r fforiwr-fotanegydd (person sy'n astudio planhigion) yn cyfuno ias antur a chyffro darganfod gwyddonol. Hefyd mae darganfod planhigion newydd yn talu'n dda a daeth nifer o'r fforwyr-fotanegwyr yn gyfoethog trwy eu gwaith. Ond roedd y rhan fwyaf ohonynt yn ystod y 18fed a'r 19eg ganrif yn enwog mewn cylchoedd gwyddonol yn unig. Heddiw mae naturiaethwyr yn ymgyrchu'n egnïol yn erbyn distrywio'r coedwigoedd glaw a llygru cynefinoedd eraill a gŵyr pawb amdanynt.

HUMBOLDT A BONPLAND
Teithiodd Alexander Humboldt ac Aimé Bonpland trwy Dde America yn ystod rhan gyntaf y 19eg ganrif yn astudio daeareg ac yn casglu planhigion. Yn y peintiad hwn gwelir nhw'n eistedd ymysg eu hoffer a'u sbesimenau yn eu gwersyll.

Blaguryn o'r planhigyn *cinchona*

Rhisgl *cinchona* y cawn gwinîn ohono

PLANHIGION WEDI EU GWASGU
Daeth Allan Cunningham â'r dail ewcalyptws hyn sydd wedi eu gwasgu yn ôl o Awstralia yn ystod y 19eg ganrif. Yn ddiweddarach dyfeisiodd dai gwydr bach lle cadwai blanhigion yn fyw ar fordeithiau hir.

PLANHIGYN GWYRTHIOL
Hyd ganol y 19eg ganrif câi llawer eu lladd bob blwyddyn gan falaria. Ar ei deithiau gyda Humboldt ym Mheriw (uchod) casglodd Bonpland samplau o'r planhigion *cinchona*. Yn ddiweddarach gwelwyd bod sylwedd a gafwyd o'r rhisgl hwn yn gallu cadw pobl rhag cael malaria. Cwinîn oedd y sylwedd hwn.

Y BOTANEGYDD BARFOG
Roedd Syr Joseph Hooker yn fforiwr-fotanegydd blaenllaw yn ystod canol a diwedd y 19eg ganrif. Bu'n aelod o alldaith Syr James Ross i'r Arctig ym 1839 ac ymwelodd â rhannau o Asia lle y casglodd lawer o sbesimenau newydd.

Sarcococca hookeriana

Hevea brasiliense

Bag ysgwydd Hooker

BAG HOOKER
Byddai Syr Joseph Hooker yn cario'r bag lledr hwn ar ei deithiau hir ac yn rhoi ynddo unrhyw blanhigion diddorol a welai. Enwyd nifer o'r rhywogaethau newydd a ddarganfu ar ei ôl, fel y *Sarcococca hookeriana* a welir yma.

MEWN I'R JYNGL

...n rhaid i fforwyr naturiaethwyr
...nd i fannau anhygyrch yn y byd wrth
...whilio am blanhigion newydd.

...nil ewcalyptws wedi'u
...wasgu

Perthyn y casgliad hwn o
nodiadau Parry i'w daith
gyntaf i'r Arctig

*Pahi'r
Arctig*

FLORA ARCTICA

Ysgrifennwyd y nodiadau hyn gan Syr William
Parry yn ystod y 19eg ganrif. Bu Parry ar bum mordaith fforio i'r
Arctig rhwng 1818 a 1827 (tt.52–3). Casglodd ac astudiodd nifer enfawr o
blanhigion. Daliodd ei fforiadau sylw'r cyhoedd oherwydd y nodiadau helaeth
a wnaeth ar ei deithiau.

*Mwsogl
yr Arctig*

Hibiscus wedi'i wasgu

HIBISCUS BANKS

Syr Joseph Banks oedd y fforiwr-
naturiaethwr mawr cyntaf. Ym 1768
hwyliodd gyda Chapten Cook i'r
Cefnfor Tawel (tt.34–5). Cymerodd
ddau fotanegydd, serydd, arlunydd,
a phedwar gwas gydag ef. Daeth
Banks â'r hibiscus hwn wedi ei
wasgu yn ôl o Polynesia. Yno
defnyddient risgl mewnol y
planhigyn i wneud sgertiau
gwellt (tt.14–15).

*Hibiscus
tricuspis*

TYPE COLLECTION

Y PLANHIGYN RWBER

...aenwyr yn fforio De America (tt.30–3) a
...larganfu'r planhigyn rwber. Roedd llwythau lleol
... sychu sudd y planhigyn a gwneud peli ohono i
...warae gêmau. Darganfuwyd y rhywogaeth
...bennig hon, *Hevea brasiliense*, gan y gwyddonydd
...rengig La Condamine. Yn ystod y 19eg ganrif
...rganfu gwyddoniaeth waith newydd i rwber a
...eth galw mawr am y planhigyn.

Pegwn y Gogledd

Bᴜ ʟʟᴀᴡᴇʀ ᴏ ꜰᴏʀᴅᴇɪᴛʜɪᴀᴜ ʏɴ ʏꜱᴛᴏᴅ ʏ 19ᴇɢ ɢᴀɴʀɪꜰ ɪ ꜰᴀɴɴᴀᴜ peryglus yn yr Arctig (tt.62–3). Arweinwyr y fforiadau hyn oedd swyddogion y llynges a anfonwyd yno i fapio'r rhanbarthau anghysbell a gwneud adroddiad ar yr hyn a welsant. Hwylient mewn llongau swmpus oedd yn ddigon cadarn i wrthsefyll gwasgu'r iâ, a digon o gyflenwadau ynddynt i barhau am nifer o flynyddoedd.

Cymerwyd llawer o gyfarpar gwyddonol er mwyn casglu samplau o greigiau ac astudio'r bywyd gwyllt. Byddai'r dynion yn aml yn glanio ar yr ynysoedd anial i barhau i astudio. Daeth y gyfres hir o alldeithiau i uchafbwynt yn nhaith Robert Peary ym 1909. Roedd ef yn swyddog yn llynges yr Unol Daleithiau ac wedi treulio blynyddoedd lawer yn yr Arctig. Ym 1909 arweiniodd y tîm cyntaf i gyrraedd Pegwn y Gogledd.

GWOBR Y PEGWN

'The Pole at last!', ysgrifennodd Peary yn ei ddyddiadur. 'My dream and goal for 20 years.' Yn hwyr y prynhawn ar 6 Ebrill 1909 cymerodd Robert Peary a'i dîm y camau olaf poenus i gyrraedd Pegwn y Gogledd. Darn enfawr o iâ sy'n arnofio ar y Cefnfor Arctig yw'r Pegwn. Hwy oedd y dynion cyntaf yno, sef Robert Peary, ei gyfaill Matthew Henson, a phedwar cydymaith Inuit (Esgimo), Ooqueah, Ootah, Egingwah, a Seegloo.

CLUDIANT YN YR ARCTIG

Rhaid oedd i fforwyr yn yr Arctig symud cyflenwadau a chyfarpar ar draws milltiroedd o eira ac iâ ar slediau. Rhaid oedd i'r rhain fod yn gryf ac yn ddigon mawr i gario llwythi trwm, ond hefyd yn ddigon ysgafn i gael eu tynnu i fyny llethrau a'u symud gan ddynion a chŵn.

GWISG CROEN MORLO

Gwisgai'r fforwyr Arctig cynnar wisg wlanen Ewropeaidd ond methodd â'u diogelu rhag y tywydd. Yna dysgasant wisgo fel yr Inuit. Mae'r cwfl a'r menig o groen morlo a gadwai allan y gwyntoedd oeraf wedi diogelu llawer o fforwyr rhag ewinrhew.

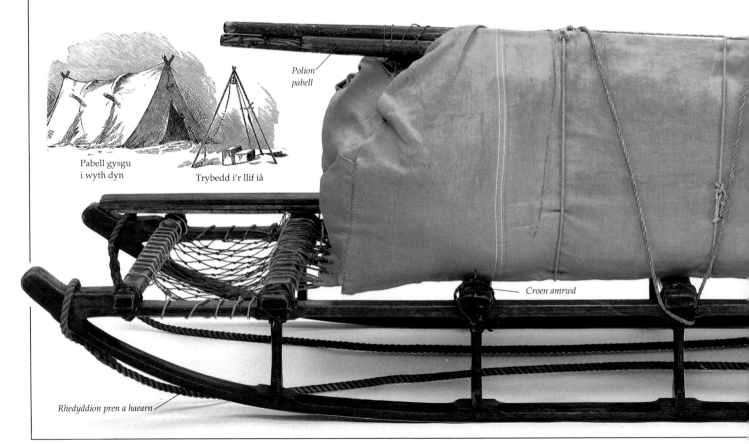

Polion pabell

Pabell gysgu i wyth dyn

Trybedd i'r llif iâ

Croen amrwd

Rhedyddion pren a haearn

Cwfl croen morlo

Maneg croen morlo

This Boat is left for Captain Parry and his party on their return from attempting to reach the North Pole.

It is particularly requested that she may not be removed, as they will probably be much in want of her.

H.M.Ship Hecla,
May 15th 1827.

PEIDIWCH Â'I SYMUD!

Cyn dyddiau cyfathrebu radio roedd fforwyr yn aml allan o gyswllt â'r byd am fisoedd ar y tro. Ym 1827 gadawodd Syr William Parry a thîm o ddynion eu llong, yr *Hecla*, a mynd ar draws tir i geisio cyrraedd Pegwn y Gogledd. Gadawyd y neges hon ar gwch a adawyd ar ôl i'w ddefnyddio'n nes ymlaen.

Cynfas i ddiogelu'r llwyth

TYNNU'R SLEDIAU

Roedd tynnu sled â llwyth arni yn waith caled a rhannai'r dynion a'r cŵn y tynnu.

Tegell te

Offer coginio

Lamp wirod i goginio

Rhwyd i gario ychwaneg o fagiau

Caib

Rhaw eira

Pegwn y De

Daliodd llawer i fforio'r Arctig ond aeth eraill i'r de i'r Antarctig (tt.62–3), ynys anferth lle roedd yr hinsawdd yn greulonach nag yn yr Arctig, hyd yn oed. Ar wahân i'r wefr o fod y cyntaf i gyrraedd Pegwn y De, roedd yno gyfoeth o fywyd gwyllt i'w astudio yng nghefnforoedd y de. Credai pobl fod yno greigiau yn cynnwys ffosilau a mwynau. Bu nifer o fforiadau yno dan nawdd llyngesau Prydain ac Awstralia a gyrhaeddodd eu hanterth yn y ddwy daith gan y ddau dîm dan arweiniad Capten Robert Scott. Casglodd y tîm cyntaf ym 1901–1904 lawer o wybodaeth wyddonol o'r arfordir. Pwrpas yr ail ym 1910–1912 oedd treiddio i mewn i'r tir. Arweiniodd Scott dîm o bump o ddynion i Begwn y De, ond trechwyd nhw gan dîm o Norwy o dan arweiniad Roald Amundsen. Ar ôl cyrraedd Pegwn y De ymrodd fforwyr diweddarach i fapio a chasglu gwybodaeth wyddonol, gwaith sy'n dal i fynd yn ei flaen heddiw.

ENNILL Y RAS!
Plannodd Roald Amundsen faner Norwy ar Begwn y De ar 14 Rhagfyr 1911, fis cyn i Gapten Scott gyrraedd yno. Roedd ganddo bedwar cydymaith a 52 o gŵn.

SGIS TRAWS-GWLAD
Sgis Scott ar ei alldaith gyntaf. Maen yn 2.5m (8 tr.) o hyd, o bren, ac yn drwm iawn!

Drych eillio Scott

Mwg Scott o'r fordaith gyntaf i'r Antarctig

CWTSHO LAN!
Eiddo'r llawfeddyg ar ail daith Scott oedd y bag cysgu hwn o groen carw. Byddai rhai yn cysgu â'r ffwr y tu mewn ac eraill â'r ffwr y tu allan. Cytunai pawb ei fod yn gynhesach na gwlân a chroen dafad.

Cyllell Scott

Bocs matsys Scott

SET GEMEG
Aeth tîm Scott ym 1910 â llawer o gyfarpar gwyddonol gyda nhw yn cynnwys y set hon o gemegion i wneud profion gwyddonol.

Oates   Scott   Evans

Bowers   Wilson

COLLI'R RAS

Cyrhaeddodd tîm Scott Begwn y De ar 17 Ionawr 1912, yn siomedig a blinedig. Wrth frwydro yn ôl i'w gwersyll, dywedodd Oates, a oedd yn wan iawn, ac yn cadw'r lleill rhag mynd yn eu blaenau, 'I am just going outside and may be some time.' Cerddodd allan o'r babell ac i'r storm o eira. Ni welwyd ef wedyn. Ysgrifennodd Scott yn ei ddyddiadur, 'We knew poor Oates was walking to his death'. Ni ddychwelodd neb yn fyw.

GWELD GOLYGFEYDD

Dyma'r telesgop a ddefnyddiodd Scott ar ei deithiau. Roedd yn ddarn pwysig o gyfarpar wrth iddynt geisio mordwyo ar draws gwastadeddau anferth o rew a thrwy fylchau yn y mynyddoedd. Gwnâi hwn hi'n bosibl iddynt adnabod tirnodau'n haws ac astudio bywyd gwyllt o bellter. Roedd gorchudd y lens yn hanfodol i gadw'r eira oddi ar y lens.

CWFL RHAG Y GWYNT

Hwn oedd cwfl y fforiwr Gwyddelig Syr Ernest Shackleton yn ystod ei gais i gyrraedd Pegwn y De ym 1907–1908. Gwnâi oerni eithafol gaeaf yr Antarctig ddillad o'r fath yn hanfodol. Yn ddiweddarach llofnododd Shackleton y cwfl a'i gyflwyno'n anrheg.

To Frank Thornton, I give this helmet though it is not of any use in his combat in "When Knights were Bold", it may be liked as it was worn When Knights were Cold, when the most Southerly point in this world was reached by man. With kindest wishes from — E. H. Shackleton 17.11.07

CHWIFIO'R FANER

Mapiodd yr Americanwr Richard Byrd ardaloedd enfawr o dir a môr. Roedd yn un o'r fforwyr cyntaf i ddefnyddio awyren (tt.56–7). Ym 1926 ehedodd dros Begwn y Gogledd, ac ym 1929 ehedodd dros Begwn y De. Chwifiodd ei faner o'r awyren wrth iddo groesi'r Pegynau.

AWYREN BYRD

Enw awyren Richard Byrd oedd *Josephine*. Yma, mae'n cael ei dadlwytho o long yn Spitzbergen (tt.62–3).

Arloeswyr yr awyr

CYN DECHRAU'R 20FED GANRIF yr unig ffordd i hedfan oedd mewn balŵn aer-poeth neu falŵn hydrogen. Ni allent aros i fyny'n hir a chan nad oedd modd eu llywio, byddent yn mynd gyda'r gwynt. Pan ehedodd yr Americanwyr, y brodyr Wright, ym 1903 mewn awyren a yrrwyd gan beiriant, dyma ddechrau ar gyfnod newydd. Teithwyr anturus oedd llawer o'r arloeswyr awyr cynnar, pobl a ehedodd dros ardaloedd a oedd yn anhysbys i ddyn, neu a agorodd lwybrau newydd i leoedd anghysbell. O bren a lliain y cafodd yr awyrennau cyntaf eu gwneud ac nid oeddynt yn ddiogel iawn. Lladdwyd llawer o'r fforwyr cyntaf oherwydd i'r awyrennau dorri i fyny neu syrthio i'r ddaear. Erbyn y 1930au defnyddid awyrennau i fapio ardaloedd am y byddai'r ffotograff o'r awyren yn dangos y tirlun yn gywir. Defnyddir ffotograffiaeth awyr heddiw i gwblhau llawer o fapiau. Trwy hyn bu'n bosibl mapio hyd yn oed dir mynyddig amhosibl mynd yn agos ato.

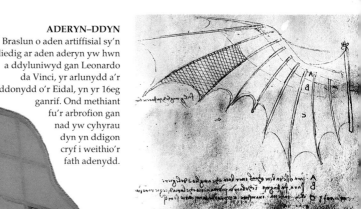

ADERYN–DDYN
Braslun o aden artiffisial sy'n seiliedig ar aden aderyn yw hwn a ddyluniwyd gan Leonardo da Vinci, yr arlunydd a'r gwyddonydd o'r Eidal, yn yr 16eg ganrif. Ond methiant fu'r arbrofion gan nad yw cyhyrau dyn yn ddigon cryf i weithio'r fath adenydd.

ARGLWYDDES YR AWYR
Yn nechrau'r 20fed ganrif synnwyd y byd gan gampau dynes ifanc o'r enw Amy Johnson. Ym 1930 ehedodd ar ei phen ei hun i Awstralia mewn 19 diwrnod, record y pryd hwnnw. Y flwyddyn ddilynol ehedodd i Japan dros lawer o dir a oedd heb ei fforio.

Asennau pren sy'n rhoi siâp a chryfder i'r aden

YSGAFN A CHRYF
Roedd yr injans cynnar mor drwm fel y câi'r awyrennau anhawster i godi. O 1908 dechreuwyd datblygu injans ysgafn fel hon. Roedd y falfiau uwchben, y siafft gyriant ysgafn, a'r pistonau ysgafn yn rhoi cryn bŵer.

CHWALU RECORDIAU
Torrodd Amelia Earhart sawl record a chafodd y gorau ar lawer o ddynion yn yr awyr. Ond ychydig cyn dechrau'r Ail Ryfel Byd diflannodd wrth iddi hedfan dros y Cefnfor Tawel. Does neb a ŵyr pam.

AMELIA EARHART   LOCKHEED VEGA

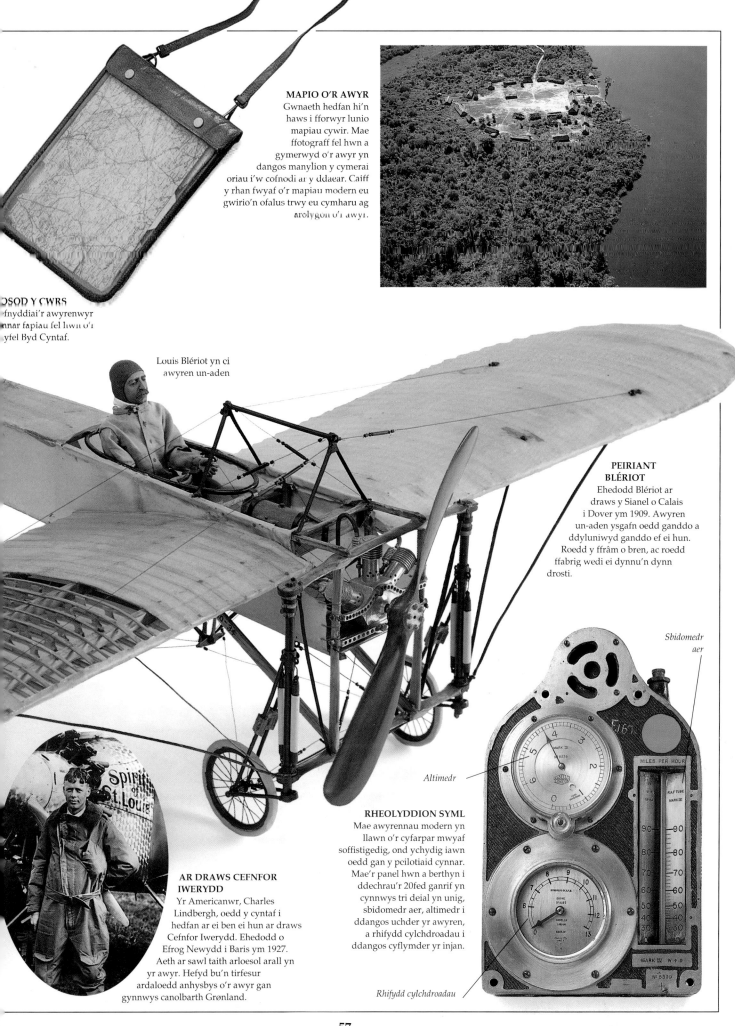

MAPIO O'R AWYR
Gwnaeth hedfan hi'n haws i fforwyr lunio mapiau cywir. Mae ffotograff fel hwn a gymerwyd o'r awyr yn dangos manylion y cymerai oriau i'w cofnodi ar y ddaear. Caiff y rhan fwyaf o'r mapiau modern eu gwirio'n ofalus trwy eu cymharu ag arolygon o'r awyr.

OSOD Y CWRS
...fnyddiai'r awyrenwyr ...nnar fapiau fel hwn o'r ...yfel Byd Cyntaf.

Louis Blériot yn ci awyren un-aden

PEIRIANT BLÉRIOT
Ehedodd Blériot ar draws y Sianel o Calais i Dover ym 1909. Awyren un-aden ysgafn oedd ganddo a ddyluniwyd ganddo ef ei hun. Roedd y ffrâm o bren, ac roedd ffabrig wedi ei dynnu'n dynn drosti.

Sbidomedr aer

Altimedr

AR DRAWS CEFNFOR IWERYDD
Yr Americanwr, Charles Lindbergh, oedd y cyntaf i hedfan ar ei ben ei hun ar draws Cefnfor Iwerydd. Ehedodd o Efrog Newydd i Baris ym 1927. Aeth ar sawl taith arloesol arall yn yr awyr. Hefyd bu'n tirfesur ardaloedd anhysbys o'r awyr gan gynnwys canolbarth Grønland.

RHEOLYDDION SYML
Mae awyrennau modern yn llawn o'r cyfarpar mwyaf soffistigedig, ond ychydig iawn oedd gan y pcilotiaid cynnar. Mae'r panel hwn a berthyn i ddechrau'r 20fed ganrif yn cynnwys tri deial yn unig, sbidomedr aer, altimedr i ddangos uchder yr awyren, a rhifydd cylchdroadau i ddangos cyflymder yr injan.

Rhifydd cylchdroadau

I bellafoedd y gofod

Bu dyn yn dychmygu teithio'r gofod am ganrifoedd, ond breuddwyd yn unig oedd hyn nes dyfeisio rocedi digon pwerus i godi gwrthrychau i'r gofod. Datblygodd yr Unol Daleithiau a'r Undeb Sofietaidd y fath rocedi yng nghanol yr 20fed ganrif wedi eu seilio ar daflegrau Almaenig a ddatblygwyd yn ystod yr Ail Ryfel Byd. Dechreuodd Oes y Gofod o ddifrif ym 1957 pan lansiodd yr Undeb Sofietaidd *Sputnik I*, y lloeren artiffisial gyntaf i gylchynu'r byd, a'r Unol Daleithiau y lloeren ofod *Explorer I* yn fuan wedyn. Daeth y cam mawr nesaf ym 1961 pan gylchynodd dyn y byd am y tro cyntaf. Yna ym 1981 lansiodd yr Unol Daleithiau wennol ofod – unwaith yn unig y gellir defnyddio roced ond gellir defnyddio'r wennol dro ar ôl tro. Mae'r fforiadau presennol i'r gofod yn cynnwys astudiaeth o blanedau enfawr cysawd yr haul i weld a yw bywyd yn bosibl arnynt.

Golygfa ddychmygol o Fawrth!

Capsiwl

Roced

I'R GOFOD
Canlyniad blynyddoedd o waith gan Sergei Korolev, gwyddonydd o Rwsia, oedd roced a allai gario dyn i'r gofod. Lansiwyd Yuri Gagarin i'r gofod ar 12 Ebrill 1961. Parhaodd ei daith hanesyddol lai na dwy awr pan gylchynodd y byd unwaith.

Rhan uchaf

Drws

Rhan Isaf

ROCED VOSTOK
Lansiwyd Yuri Gagarin mewn capsiwl Vostok tua 2.5m (8 tr.) o ddiamedr. I'w lansio i gylchynu'r byd roedd angen roced enfawr fyddai'n syrthio i ffwrdd; un wedi ei gwneud o bedair roced gyfnerthu yn gysylltiedig wrth roced graidd ganolog a oedd 13 o weithiau'n fwy na'r capsiwl.

CORRYN Y GOFOD
Ar 20 Gorffennaf 1969 glaniodd y dyn cyntaf ar y lleuad yn y modiwl hwn a gynhwysai gyfarpar gwyddonol a luniwyd i astudio wyneb y lleuad. Anfonodd camerâu teledu awtomatig luniau byw yn ôl o'r foment y dringodd Neil Armstrong i lawr yr ysgol a dweud y geiriau hyn, 'That's one small step for man, one giant leap for mankind.'

Helm
wasgedd

Cyswllt cyflenwad
ocsigen

NASA

W. ANDERS

Allanfa
carbon
deuocsid

Poced a ddaw
i ffwrdd

LABORDY GOFOD

Ym 1973 lansiodd yr Americaniaid Skylab, y
labordy gwyddonol, cylchynol, parhaol,
cyntaf. Roedd ynddo leoedd cysgu
arbennig, peiriannau ymarfer, a
llawer o gyfarpar gwyddonol.
Gwnaed arbrofion yn rheolaidd i
asesu gallu gofodwyr i fyw a
gweithio yn y gofod.

CERDDED YN Y GOFOD

Mae'r gofodwr hwn yn arnofio'n rhydd
yn y gofod. Mae'r pecyn ar ei gefn yn
cynnwys rocedi bach i'w alluogi i symud
o gwmpas a newid cyfeiriad. Roedd
llinyn yn cysylltu'r gofodwyr
cynharach a gerddai yn y
gofod â'r llong ofod. Mae
cynlluniau'r dyfodol yn
cynnwys gofodwyr sy'n
arnofio'n rhydd ac yn codi
'adeiladau' yn y gofod.

DILLAD GOFOD

Gwisgwyd y siwt
hon gan y gofodwr
William Anders,
peilot y daith gyntaf
o gwmpas y lleuad â
chriw ym 1968. Gwisgwyd
y siwt fel mesur o ddiogelwch
oherwydd gellid ei gwasgeddu
yn annibynnol ar y llong ofod.

BWYD YN Y GOFOD

Pan ddechreuodd gofodwyr dreulio mwy nag
ychydig oriau yn y gofod roedd yn rhaid datrys
problem bwyd a diod. I arbed pwysau mae llawer
o'r bwyd yn cael ei rew-sychu neu ei ddadhydradu.
Defnyddia'r gofodwyr y dŵr a gynhyrchir yn
ystod y broses o wneud trydan i ailhydradu
bwyd. Daeth y bwydydd isod o alldeithiau'r
Americaniaid a'r Sofietiaid i'r gofod.

Pwdin
siocled

Diod geirios

Ciwbiau
bara wedi eu
sychu

Sŵp
tomato

Caws
macaroni

Cyfarwyddiadau am
faint o ddŵr i'w
ychwanegu

Fforio'r dyfnder

MAE DŴR YN CUDDIO BRON DRI CHWARTER y byd, ond eto'n gymharol ddiweddar y dechreuwyd fforio'r byd dirgel hwnnw o dan y môr. Ym 1872 y trefnwyd yr alldaith swyddogol gyntaf i fforio'r byd o dan y dŵr ac y llanwyd y llong *Challenger* ag offer gwyddonol i gasglu gwybodaeth o'r dyfnderoedd. Y datblygiad mawr nesaf yn y maes hwn oedd y 'bathyscaff', cerbyd a allai blymio o dan wyneb y dŵr a ddaeth yn hanner cyntaf yr 20fed ganrif. Yn awr gallai gwyddonwyr fforio'n ddyfnach nag o'r blaen, ac o ganlyniad i gerbydau plymio mwy soffistigedig a'r cynnydd yn y diddordeb mewn fforio'r dyfnderoedd, gwyddom fod y tiroedd o dan y dŵr yn cynnwys mynyddoedd, dyffrynnoedd, a gwastatiroedd fel y rhai ar dir sych.

Môr-forynion – creaduriaid chwedlonol sy'n byw o dan y môr, sy'n rhannol ddynol a rhannol bysgodyn. Yn ôl traddodiad, gallant ddenu dynion â'u harddwch a'u canu.

LLONG BLYMIO
Dyluniodd Auguste Picard a'i fab Jacques bathyscaff hwn, *Trieste*, i weithio mew dyfnderoedd mawr Ym 1960 aeth Jacques lawr 11km (7 milltir yn y môr. Roedd yr rhaid i'r hwl fod yn gryf iawn i wrthsefyl gwasgedd dyfnder m fawr.

AER TRWM
Bu achub broc o longddrylliadau mewn dŵr bas yn waith proffidiol erioed, ond cyfyngwyd ar y gwaith gan yr amser y gallai plymydd ddal ei anadl. Ym 1819 dyfeisiodd Augustus Sieb helm blymio o gopor (chwith) a ganiataodd i blymyddion weithio 60m (197 tr.) i lawr am gyfnodau hir. Câi'r helm ei chadw yn llawn o aer iach gan griw ar yr wyneb yn pympio aer i lawr pibell hir. Roedd y rhaid i'r plymydd fod yn ofalus i beidio â niweidio'r bibell gan y gallai hyn atal ei gyflenwad o aer.

Mae'r helm wedi ei gwneud o gopor ac mae'n pwyso tua 9kg (20 pwys)

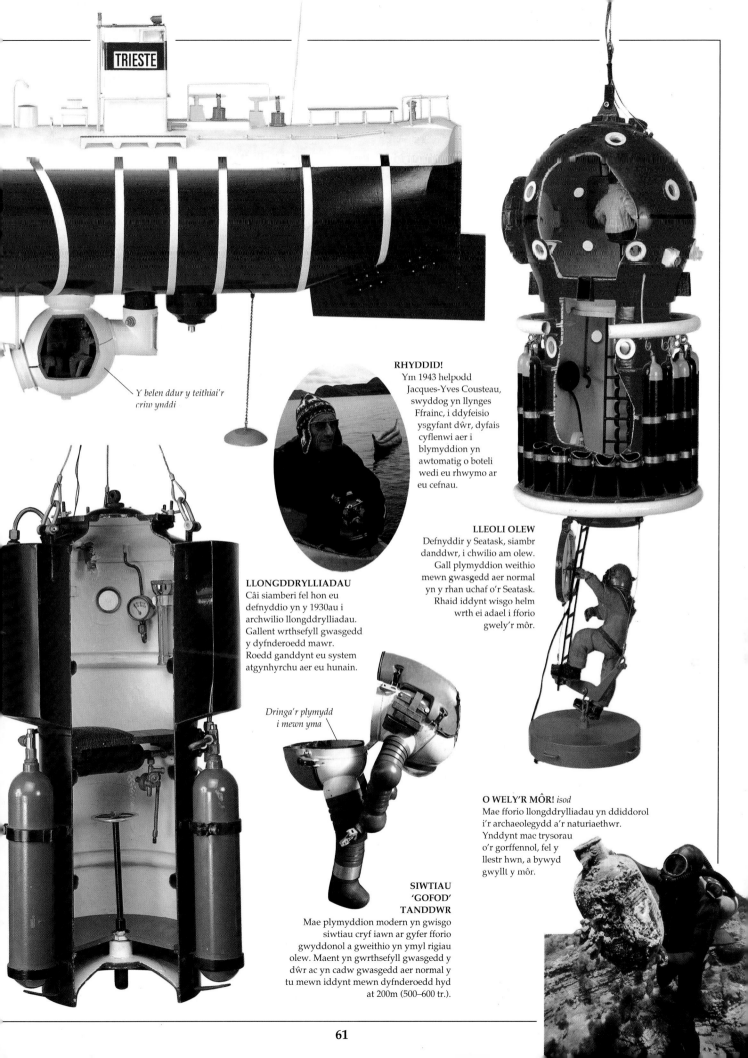

TRIESTE

Y belen ddur y teithiai'r criw ynddi

RHYDDID!
Ym 1943 helpodd Jacques-Yves Cousteau, swyddog yn llynges Ffrainc, i ddyfeisio ysgyfant dŵr, dyfais cyflenwi aer i blymyddion yn awtomatig o boteli wedi eu rhwymo ar eu cefnau.

LLEOLI OLEW
Defnyddir y Seatask, siambr danddwr, i chwilio am olew. Gall plymyddion weithio mewn gwasgedd aer normal yn y rhan uchaf o'r Seatask. Rhaid iddynt wisgo helm wrth ei adael i fforio gwely'r môr.

LLONGDDRYLLIADAU
Câi siamberi fel hon eu defnyddio yn y 1930au i archwilio llongddrylliadau. Gallent wrthsefyll gwasgedd y dyfnderoedd mawr. Roedd ganddynt eu system atgynhyrchu aer eu hunain.

Dringa'r plymydd i mewn yma

O WELY'R MÔR! *isod*
Mae fforio llongddrylliadau yn ddiddorol i'r archaeolegydd a'r naturiaethwr. Ynddynt mae trysorau o'r gorffennol, fel y llestr hwn, a bywyd gwyllt y môr.

SIWTIAU 'GOFOD' TANDDWR
Mae plymyddion modern yn gwisgo siwtiau cryf iawn ar gyfer fforio gwyddonol a gweithio yn ymyl rigiau olew. Maent yn gwrthsefyll gwasgedd y dŵr ac yn cadw gwasgedd aer normal y tu mewn iddynt mewn dyfnderoedd hyd at 200m (500–600 tr.).

Llwybrau'r fforwyr

Dengys y map hwn o'r byd lwybrau rhai o'r fforwyr pwysicaf y ceir eu stori yn y llyfr hwn. Fel y gwelwch, cymharol fyr oedd teithiau'r fforwyr cynnar ond wrth i dechnoleg wella, gallai'r dynion a'r gwragedd dewr a'u dilynodd fforio ardaloedd llawer ehangach. Gwnaeth llawer ohonynt fapiau manwl a nodiadau o'r mannau a fforiwyd ganddynt, ac oherwydd y wybodaeth a gasglwyd ganddynt y gwyddom ni gymaint am ein byd.

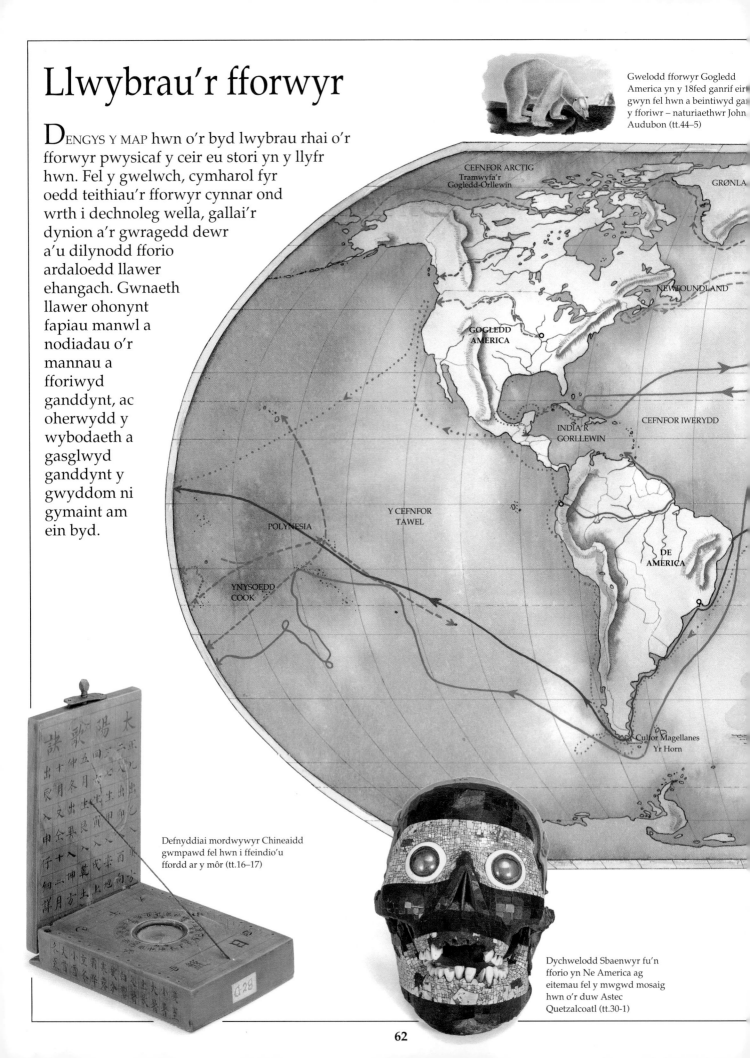

Gwelodd fforwyr Gogledd America yn y 18fed ganrif eir gwyn fel hwn a beintiwyd ga[...] y fforiwr – naturiaethwr John Audubon (tt.44–5)

CEFNFOR ARCTIG
Tramwyfa'r Gogledd-Orllewin

GRØNLA[...]

NEWFOUNDLAND

GOGLEDD AMERICA

CEFNFOR IWERYDD

INDIA'R GORLLEWIN

Y CEFNFOR TAWEL

POLYNESIA

YNYSOEDD COOK

DE AMERICA

Culfor Magellanes
Yr Horn

Defnyddiai mordwywyr Chineaidd gwmpawd fel hwn i ffeindio'u ffordd ar y môr (tt.16–17)

Dychwelodd Sbaenwyr fu'n fforio yn Ne America ag eitemau fel y mwgwd mosaig hwn o'r duw Astec Quetzalcoatl (tt.30-1)

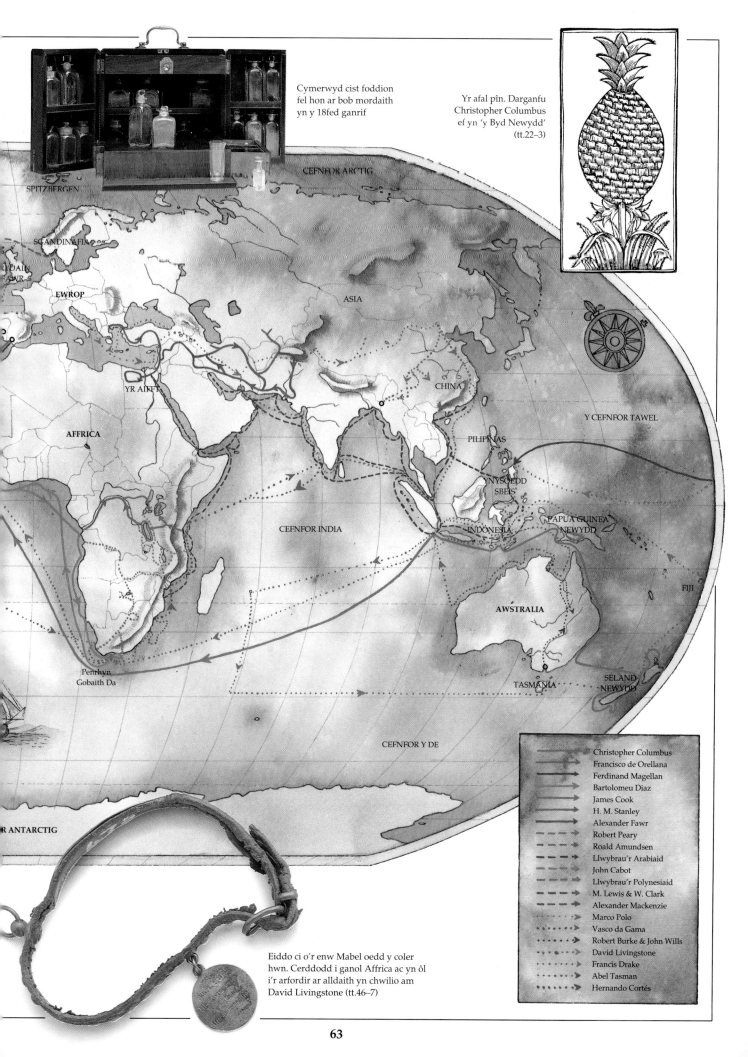

Cymerwyd cist foddion fel hon ar bob mordaith yn y 18fed ganrif

Yr afal pîn. Darganfu Christopher Columbus ef yn 'y Byd Newydd' (tt.22–3)

CEFNFOR ARCTIG

SPITZBERGEN

SCANDINAFIA

EWROP

YR AIFFT

AFFRICA

ASIA

CHINA

PILIPÎNAS

YNYSOEDD SBEIS

Y CEFNFOR TAWEL

PAPUA GUINEA NEWYDD

INDONESIA

CEFNFOR INDIA

FIJI

AWSTRALIA

Penrhyn Gobaith Da

TASMANIA

SELAND NEWYDD

CEFNFOR Y DE

R ANTARCTIG

Christopher Columbus
Francisco de Orellana
Ferdinand Magellan
Bartolomeu Diaz
James Cook
H. M. Stanley
Alexander Fawr
Robert Peary
Roald Amundsen
Llwybrau'r Arabiaid
John Cabot
Llwybrau'r Polynesiaid
M. Lewis & W. Clark
Alexander Mackenzie
Marco Polo
Vasco da Gama
Robert Burke & John Wills
David Livingstone
Francis Drake
Abel Tasman
Hernando Cortés

Eiddo ci o'r enw Mabel oedd y coler hwn. Cerddodd i ganol Affrica ac yn ôl i'r arfordir ar alldaith yn chwilio am David Livingstone (tt.46–7)

Mynegai

Cydnabyddiaethau

Hoffai'r cyhoeddwr ddiolch i:
Caroline Roberts, Robert Baldwin a Peter Ince o Amgueddfa Genedlaethol y Môr, Greenwich; Joe Cribb, Simon James, Rowena Loverance, Carole Mendelson, Ann Pearson, James Puttnam, Jonathan N. Tubb a Sheila Vainker o'r Amgueddfa Brydeinig; Anthony Wilson, Eryl Davies, Peter Fitzgerald a Doug Millard o'r Amgueddfa Wyddoniaeth; Sarah Posey o Amgueddfa'r Ddynoliaeth; Oliver Crimmen, Mike Fitton a Roy Vickery o'r Amgueddfa Hanes Natur; y Gymdeithas Ddaearyddol Frenhinol; y Gerddi Botanegol Brenhinol, Kew; Amgueddfa Peabody, Salem, Mass., UD; Amgueddfa Capel Bedyddwyr Bathseda a'r Oriel Gwisgoedd Hynafol a Thecstiliau. Thomas Keenes, Christian Sévigny a Liz Sephton am gymorth dylunio; Claire Gillard, Bernadette Crowley a Céline Carez am gymorth golygyddol; a Jacquie Gulliver am ei gwaith cychwynnol ar y llyfr.

Cydnabyddiaethau lluniau
t = top, g = gwaelod, c = canol, d = de, ch = chwith

Gwnaed pob ymdrech i olrhain y perchenogion hawlfraint ac ymddiheurwn ymlaen llaw am unrhyw fylchau anfwriadol. Ychwanegwn y cydnabyddiaethau priodol yn yr argraffiadau nesaf.

Llyfrgell Luniau Barnaby: 25 td.; Llyfrgell Gelfyddyd Bridgeman: 18tch, 22gd, 40td/Llyfrgell Bodley, Rhydychen 40gch/Yr Amgueddfa Brydeinig 41tc Cwmni Bae Hudson 41 gch/y Gymdeithas Ddaearyddol Frenhinol 42tch/Amgueddfa Victoria ac Albert: 45gch, 62td/Amgueddfa Wydr Brierley Hill, Dudley 48cd/Athrofa Ymchwil Begynol Scott, Caergrawnt: 53c; Yr Amgueddfa Brydeinig, Llundain 9c; Llyfrgell Luniau Mary Evans: 6tch, 8td, 10tch, 17gd, 19tc, 19td, 19cd, 24td, 26td, 27td, 28td, 29c, 38tch, 38td, 38cd, 40cd, 42td, 49c, 50cd, 55gd, 56td, 56gd, 58td, 60tch, 60gd; Llyfrgell Luniau Robert Harding: 2gd, 11td, 14gc, 15gch, 18c, 21tc, 21td, 22cd, 27gd, 30tch, 30–1, 35cd, 45c, 45cd, 46cch, 47td, 47gch, 48gch, 50td, 51tch, 57td, 59td, 62gc; Hulton-Deutsch: 12tch, 17cch, 20tch, 39td, 56c, 57gch; Michael Holford: 6gd, 7c; Casgliad Mansell 14tch, 21gch; 34cd; Museu de Marinha, Lisboa 20gd; NMAH/SI/Kim Nielsen 45gd; NMNH/SI/Chip Clark 44td/Amgueddfa Genedlaethol y Môr, Llundain: 34gd, 34tch, 35gch, 40cch; Lluniau Peter Newark: 43td, 44gd, 44c, 44cch; Â chaniatâd caredig Ymddiriedolwyr Ystad Parham: 34gch; Amgueddfa Peabody Salem, Mass/Mark Sexton: 26c, 26gch, 26–7c/Prifysgol Havard. Photo Hillel Burger 44–5; Lluniau Planet Earth/Flip Schulke: 61c, 61gd/Brian Coope: 61gc; Popperfoto: 54tch, 55tc/Llyfrgell Science Photo: 59cd; Syndication International: Siaced flaen gch. 2gch/Llyfrgell y Gyngres, Washington DC 10gch/Nasjonal-galleriet Oslo 12gch, 16tch/Bibliotèque Nationale, Paris 17gch/Yr Amgueddfa Brydeinig, Llundain 20gch, 23tc, 24cch, 24gc, 30tch, 30gch/Amgueddfa Genedlaethol y Môr, Llundain 34gd. 40cch/Oriel Gelfyddyd Genedlaethol, Washington DC 43gch/Cymdeithas Hanes Missouri 45td, 46td, 46gc, 49gc/Cwmni Yswiriant John Hancock Mutual Life, Boston, Mass. 52tch, 63tch.

Ffotograffiaeth ychwanegol:
Dave King
Colin Keates (tt.50–3)
Mark Sexton (tt.26–7)

Mapiau:
Sallie Alane Reason